New York

GUIDE

Évasion en ville

HACHETTE

© B. Rieger/Hémisphères Images

découvrir

magazine

itinéraires

Midtown.............91

Uptown...............117

Les autres boroughs............137

Carnet d'adresses.........146

pratique

Organiser son voyage........168

Sur place............174

repères

© I. Villaud

découvrir

RENT
ANDREW LLOYD WEBBER'S
CATS
SUNSET
FORUM
501
EMBASSY 1

En bref

- **Situation**. Sur la côte est des États-Unis, entre Philadelphie et Boston.
- **Géographie.** Sur trois îles principales : Manhattan, Long Island et Staten Island.
- **Superficie.** 484,4 km².
- **Climat**. Hivers froids : min. – 3 °C (26 °F) et max. 3 °C (38 °F). Étés chauds et humides : max. 29 °C (84 °F) et min. 19 °C (67 °F).
- **Maire actuel**. Michael Bloomberg, républicain élu en nov. 2001 et réélu en nov. 2005.
- **Population.** 11 685 650 hab. (2003).
- **Composition ethnique.** Blancs (37 %), Noirs (24,9 %), Hispaniques (27,8 %), Asiatiques (9,2 %), autres (1,1 %).
- **Religions.** Catholiques (43,4 %), protestants (16,7 %), juifs (10,9 %), baptistes (10,7 %), musulmans (1,5 %), autres (0,4 %).
- **Monnaie.** 1 US $ = 0,80 € env.
- **Papiers.** Passeport à lecture optique/avec identifiants biométriques ; visa pour séjour de plus de 3 mois.
- **Langues.** L'anglais, l'espagnol.
- **Secteurs d'activités.** 80 % de services. Le port est le 3e du monde.
- **Taux de chômage.** 5,4 % (2004). Il touche 60 % des Afro-Américains. 1 habitant sur 5 bénéficie de l'aide sociale *(welfare)*. ●

► Le Guggenheim Museum.
Pages précédentes : Times Square.

Envie de partir ?

Déroutante et ensorcelante, New York, la ville phare de la côte est des États-Unis, offre l'occasion de vivre une expérience unique. Du frénétique Times Square à la paisible enclave verte de Central Park, de la populeuse Chinatown aux ruelles très *british* de Greenwich Village, la rue new-yorkaise invite à plus d'un voyage. Du sommet de l'Empire State Building ou du Rockefeller Center, prenez de la hauteur pour en apprécier la démesure. Du MoMA à la Frick Collection, enivrez-vous de culture dans la cité aux 150 musées. Architecture, gastronomie, shopping, spectacles, mode... Découvrez les clés et les codes pour aller à l'essentiel et garder le cap en douceur dans cette ville du XXIe siècle.

© B. Rieger/Hémisphères Images

© P. Forget/Hoa Qui

Que voir ?

Downtown Sud

Incontournable : la croisière vers la **statue de la Liberté***** *(p. 53)* et ♥ **Ellis Island Immigration Museum*** *(p. 54)*, la porte d'entrée de l'Amérique. Le **National Museum of the American Indian** *(p. 57)* est installé à l'endroit même où l'île aurait été achetée aux Indiens. Il faut se frayer un chemin entre les gratte-ciel pour débusquer **Fraunces Tavern*** *(p. 57)*, un fragile témoin du passé, sur le chemin de **South Street Seaport**** *(p. 58)*, l'ancien port de New York.

Wall Street** *(p. 61)* est le symbole de la prospérité financière de l'Amérique, pourtant caché au détour d'une rue étroite. **Trinity Church*** *(p. 62)* et le **Federal Hall*** *(p. 63)* semblent aujourd'hui bien à l'étroit dans la jungle des tours.

On fera une halte dans ♥ **St Paul's Chapel*** *(p. 68)*, devenue mémorial, puis on s'arrêtera devant les sculptures du **Woolworth Building**** *(p. 68)* avant d'arpenter le quartier de l'hôtel de ville (**City Hall***, *p. 69*) et d'emprunter le fameux ♥ **pont suspendu de Brooklyn**** *(p. 70)*.

© B. Rieger/Hémisphères Images

Downtown Nord

Explorez **Chinatown**** *(p. 73)*, la ville chinoise voisine de l'enclave italienne **Little Italy*** *(p. 76)* qui abrite Nollta, très à la mode, et le **Lower East Side*** *(p. 77)*, le point de chute historique de l'immigration en Amérique.

SoHo** *(p. 79)* est l'un des quartiers branchés de New York. Admirez les façades des *cast-iron buildings*, ces immeubles en fonte, notamment sur ♥ **Greene Street*** *(p. 80)*. Boutiques et galeries tendance sont aménagées dans des lofts immenses. **TriBeCa**, le quartier voisin, est surtout réputé pour ses restaurants gastronomiques *(p. 81)*.

Du très bohème **Washington Square Park*** *(p. 82)* aux ruelles sinueuses et paisibles du ♥ **West Village**** *(p. 86)*, le quartier attachant de Greenwich Village distille un parfum de vieille Europe, dont raffolent les intellectuels et les artistes.

Du côté de **St Mark's Place*** *(p. 89)*, explorez les lieux *underground* de la ville. À quelques blocs, se cache l'une des plus anciennes églises de New York, ♥ **St Mark's in the Bowery Church*** *(p. 88)*.

© N. Devaud

Midtown

Encore un quartier à l'atmosphère bohème, que le mythique **Chelsea Hotel*** *(p. 92)* a rendu célèbre. Allez dîner dans le **Meatpacking District**, le quartier qui monte *(p. 93)*. Les amateurs apprécieront l'architecture des immeubles d'affaires dominés par le ♥ **Flatiron Building*** *(p. 95)*, le premier des gratte-ciel new-yorkais, construit en 1902. Un peu à l'écart, ♥ **Gramercy Park**** *(p. 96)* semble encore vivre au temps des voitures à cheval.

L'effervescence est à son comble du côté de **Macy's*** *(p. 98)*, qui se targue d'être le plus grand magasin du monde. L'**Empire State Building***** *(p. 98)*, lui, domine la ville et flirte avec les nuages. La visite de la ♥ **Grand Central Terminal*** *(p. 102)* et les façades Art déco sur E42nd St., tel le ♥ **Chrysler Building**** *(p. 103)*, jusqu'au siège de l'**ONU**** *(p. 104)*, raviront les passionnés d'architecture.

♥ **Times Square**** *(p. 105)* est un endroit magique avec ses murs d'images vivantes, les théâtres sur **Broadway*** *(p. 38)*... Au-delà de **Diamond Row*** *(p. 106)*, la rue des diamantaires, le **Rockefeller Center**** *(p. 106)* est une ville dans la ville et l'une des plus belles réussites Art déco aux États-Unis.

Autre incontournable : la remontée de la **5e Avenue*****, entre la **cathédrale St Patrick**** *(p. 111)* et ♥ **Central Park**** *(p. 124)* et le ♥ **MoMA**** *(p. 112)* tout proche.

Uptown

Après ♥ **Frick Collection***** *(p. 118)*, **Whitney Museum of American Art**** *(p. 119)*, **Metropolitan Museum of Art***** *(p. 120)*, **Solomon R. Guggenheim Museum**** *(p. 122)*, **shopping** sur **Madison Avenue**** *(p. 118)* ou balade dans ♥ **Central Park**** *(p. 124)* et son **Wildlife Center*** *(p. 125)*. Si la bohème chic du West Side gravite autour de **Lincoln Center*** *(p. 128)*, les stars vivent sur **Central Park West**** *(p. 129)*, où trônent le ♥ **Dakota Building*** *(p. 130)* et le **musée d'Histoire naturelle**** *(p. 130)*. La gigantesque **cathédrale St John the Divine**** *(p. 132)* et l'**université Columbia*** *(p. 133)* s'élèvent à la lisière sud de **Harlem***, où se situe l'**Apollo Theater*** *(p. 134)*.

Brooklyn, le Bronx, le Queens

Commencez par ♥ **Brooklyn Heights**** *(p. 139)* et le **Brooklyn Museum of Art**** *(p. 140)*, continuez par le **Bronx Zoo**** *(p. 143)* et le **Yankee Stadium** *(p. 142)* et finissez en beauté avec l'**American Museum of the Moving Image**** *(p. 145)*. ●

© Laski/Gamma

© Kord.com/AGE Fotostock/Hoa Qui

Si vous aimez...

Les symboles de New York

Statue de la Liberté*** *(p. 53)*, **Empire State Building***** *(p. 98)*, **Metropolitan Museum of Art***** *(p. 120)*, ♥ **Chrysler Building**** *(p. 103)*, ♥ **Central Park**** *(p. 124)*, **Greenwich Village**** *(p. 82)*, **Wall Street**** *(p. 62)*, ♥ **Brooklyn Bridge**** *(p. 70)*, ♥ **Times Square**** *(p. 105)*, **5th Avenue***** *(p. 110)*.

Les musées

Le **Metropolitan Museum of Art***** (MET, *p. 120*), aussi prestigieux que le Louvre, la ♥ **Frick Collection***** *(p. 118)*, pour ses chefs-d'œuvre de l'art européen, le ♥ **MoMA**** *(p. 112)*, récemment rénové, et le **Guggenheim Museum**** *(p. 122)*, pour l'art moderne, ou encore les ♥ **Cloisters***** *(p. 136)*, pour l'art médiéval.

La vie de bohème

Certains quartiers affichent résolument leur créativité et leur anticonformisme. Musardez dans **SoHo**** *(p. 79)*, en poussant la porte des galeries et des boutiques insolites installées dans des lofts. Flânez dans les ruelles *british* de **Greenwich Village**** *(p. 82)*, de **Chelsea*** et du **Meatpacking District** *(p. 93)*. Apprivoisez

East Village* *(p. 87)*, le plus *underground*, sans oublier **Upper West Side*** *(p. 128)*, au style à la fois chic et décontracté.

Les vues

L'**Empire State Building***** *(p. 98)*, **South Street Seaport**** *(p. 58)*, ♥ **Brooklyn Bridge**** *(p. 70)*, **Brooklyn Heights Promenade**** *(p. 139)*, **Rock of the Top**** *(p. 108)* et le **Time Warner Center*** *(p. 128)*.

Les gratte-ciel

Le pionnier : ♥ **Flatiron Building*** *(p. 95)*. Le plus haut : **Empire State Building***** *(p. 98)*. Le plus élégant : ♥ **Chrysler Building**** *(p. 103)*. Le plus ouvragé : **Woolworth Building**** *(p. 68)*. Le plus tape à l'œil : **Trump Tower*** *(p. 114)*. L'un des plus récents : le **Time Warner Center*** *(p. 129)*, dans la lignée du **Sony Building** *(p. 115)*.

L'Art déco

À partir de 1925, le gratte-ciel s'habille Art déco, un style venu d'Europe. Façades, mais aussi halls d'entrée, cages d'ascenseurs et grilles de ventilation arborent de somptueux motifs géométriques, végétaux ou primitivistes : **Rockefeller Center**** *(p. 106)*, ♥ **Chrysler Building**** *(p. 103)*, **American Radiator Building*** *(p. 100)*. ●

magazine

© B. Perousse

La conquête urbaine

▲ Une *«île assise sur le roc où sans cesse gaiement se brisent, accourent et dévalent les vagues précipitées...»* (Walt Whitman, *Feuilles d'herbe*, 1909).
Pages précédentes : chacun semble vivre au rythme accéléré des films muets.

Terre ancestrale des Indiens algonquins jusqu'au XVIe s., le site de New York s'est trouvé sur la route des explorateurs. C'est la Hollande, puissance maritime et coloniale, qui s'y implantera durablement dès le début du XVIIe s. La vocation de la Nouvelle Amsterdam sera avant tout commerciale. Sous domination anglaise, à partir de 1664, le port de la Nouvelle York devient la plaque tournante de l'import-export dans le Nouveau Monde. Entre 1855 et 1954, 17 millions de personnes ont débarqué à Manhattan. En moins de quatre siècles, la petite colonie hollandaise blottie à la pointe sud de Manhattan est devenue cette métropole influente où cohabitent plus de 100 nationalités, siège de l'ONU et première place financière de la planète.

Une ville en plein essor

Forte de sa situation géographique et de son influence, New York joue un rôle charnière entre l'Europe et le reste du continent américain. En pleine expansion économique, elle s'enrichit et s'étend un peu plus vers le nord. Elle doit aussi faire face à un afflux d'immigrants qu'elle peine à absorber à cause du problème du logement dans l'île.

Le plan en damier

Avec l'afflux continuel d'**immigrants**, la ville, qui ne couvre alors qu'un quart de la superficie de Manhattan (12 km^2), fait un nouveau bond en avant jusqu'au niveau de **Canal Street** *(p. 73)*. Entre 1807 et 1811, le maire DeWitt Clinton la soumet à un strict **quadrillage** composé de 2028 blocs *(p. 180)* : à l'origine, 155 rues orientées est-ouest et 12 avenues orientées nord-sud. Cette grille, qui découpe la ville en parcelles, favorise l'émergence de grandes **fortunes immobilières**. Les premiers ***tenements***, immeubles collectifs inconfortables et insalubres *(p. 76)*, s'élèvent dans la partie est du bas Manhattan (Lower East Side, *p. 77*). C'est là que les immigrants allemands s'installent nombreux – ce quartier sera baptisé « la petite Allemagne ». Au nord de la ville, la campagne est parsemée de **fermes opulentes**, propriétés de négociants et notables.

Le commerce maritime

À la levée du Blocus continental (1809), l'Angleterre inonde l'Amérique de ses produits manufacturés. New York obtient l'exclusivité du commerce des tissus anglais et s'affirme comme un très grand **port marchand** au carrefour des grandes voies commerciales. Les activités portuaires sont favorisées par des avantages fiscaux et, à partir de 1825, par l'ouverture du **canal Érié** (590 km), qui relie le lac Érié à la région d'Albany (au nord de Manhattan, sur l'Hudson). De là, les bateaux descendent le fleuve jusqu'à la pointe sud de Manhattan. Bois précieux, tissus de qualité, tabac, coton, vins et liqueurs sont désormais acheminés directement vers l'intérieur des terres. Ces activités fort lucratives attirent dans Manhattan les banques et les immeubles de bureaux, qui gravitent autour de la **Bourse de Wall Street.**

Ellis Island : l'île des larmes et de l'espoir

Entre 1840 et 1860, New York doit faire face à un nouvel accroissement spectaculaire de la population. L'arrivée massive de **réfugiés politiques** allemands et d'Irlandais fuyant la Grande Famine (1846-1847) vient aggraver la pénurie de logements. Un premier poste d'immigration est ouvert dans Castle Clinton en 1855 *(p. 53)*. En 1886, la **statue de la**

Liberté *(p. 53)*, offerte par la France, se met à éclairer le monde depuis la baie de New York. C'est elle qui accueille désormais les immigrants au terme de leur harassant voyage. Avec l'ouverture du **centre d'immigration d'Ellis Island** en 1892 *(p. 54)*, New York devient la porte symbolique de l'Amérique. Au tournant du siècle, 5 millions de personnes venues d'Europe, portées par l'espoir d'une vie meilleure outre-Atlantique, passent par ses contrôles.

Une véritable métamorphose

Après la guerre de Sécession et les émeutes de 1863, la ville est exsangue. Mais l'afflux d'immigrants est si fort qu'elle n'a d'autre choix que de reprendre sa course folle vers le nord.

Vers un nouvel urbanisme

Les premiers **parcs** urbains apparaissent dès 1860 : **Central Park** *(p. 124)*, **Riverside Park** dans Manhattan, puis **Prospect Park** à Brooklyn. Malgré les incendies de Hanover Square, en 1835, et Bowling Green, en 1845, il faut attendre 1865 pour voir la municipalité se doter d'un corps de sapeurs-pompiers professionnels, le **FDNY** (Fire Department of NYC). Les immeubles sont alors équipés d'escaliers extérieurs *(fire escape)*, qu'ils ont conservés.

Dans les années 1880, un **métro aérien** à vapeur puis à l'électricité *(elevated train*, ou *El)* sur deux voies remplace le tramway à cheval. Ce monstre de métal court le long des façades dans un vacarme infernal et rend les habitants à moitié fous. La première ligne de **métro souterrain** sera inaugurée en 1904. En 1882, New York s'équipe de la lampe à incandescence d'Edison. Tandis que les immigrants pauvres s'entassent dans les *tenements* de Lower East Side, les New-Yorkais aisés s'installent à l'écart, à la lisière des zones non bâties. Mais l'afflux de population est si grand qu'il leur faut souvent déménager pour conserver l'exclusivité de leur quartier. Beaucoup de leurs **élégantes maisons mitoyennes** *(rowhouses)* ont survécu, mais la plupart des hôtels particuliers ont disparu *(p. 119)*.

La sentinelle du Nouveau Monde

En France, sous le Second Empire, l'exemple de la jeune nation américaine séduit les milieux intellectuels acquis aux idées républicaines. En 1865, Édouard-René Lefebvre de Laboulaye et le sculpteur alsacien Frédéric Auguste Bartholdi, deux fervents républicains, se rencontrent. Les deux hommes, soucieux de réveiller la fibre patriotique des Français, ont l'idée d'offrir une statue à l'Amérique à l'occasion du premier centenaire de l'Indépendance.

En 1871, Bartholdi se rend à New York pour convaincre les Américains de participer au financement du projet. Ceux-ci sont réticents : au sortir de la guerre de Sécession (1861-1865), le pays est en pleine reconstruction. Mais grâce à l'obstination de Bartholdi et au soutien des républicains, l'accord entre la France et l'Amérique est conclu en 1875, quelques mois avant l'avènement de la IIIe République.

LE « GRAND NEW YORK » ET SES CINQ DISTRICTS

En 1883, on inaugure sur East River le **pont de Brooklyn** *(p. 70)*, qui relie enfin les faubourgs de Brooklyn, du Queens et de Long Island à l'île de Manhattan. À la même époque, les gares **Grand Central Terminal** (1903-1913) *(p. 102)* et **Pennsylvania** (1904-1910) s'élèvent dans Midtown. Pour absorber le flot continuel d'immigrants, on procède au regroupement de Manhattan, du Bronx, de Brooklyn, de Staten Island et du Queens.

En 1898, **cinq districts** ou *boroughs* composent désormais New York City. Plus ruraux, les faubourgs du Bronx et du Queens se peuplent rapidement après la construction d'une ligne de métro. Staten Island, desservie par un ferry, vivra dans un relatif isolement jusqu'à la construction du **pont Verrazano**, en 1964. Mais c'est toujours l'île de Manhattan qui attire irrésistiblement les nouveaux venus, comme elle avait séduit les colons hollandais.

▲ Grand Central Terminal. De style Beaux-Arts, la gare est couronnée d'un fronton sculpté par un Français, Jules Alexis Coutan.

La France s'engage à financer la statue, tandis que l'Amérique se charge du piédestal et des fondations.

Bartholdi fait appel à Gustave Eiffel pour le corps de la statue (46,5 m de haut). En promettant de publier dans son journal, *The New York World*, le nom de tous les donateurs, Joseph Pulitzer recueille 100 000 dollars pour financer le piédestal et les fondations de la statue.

C'est sur la frégate *Isère* que la Liberté franchira l'Atlantique, avant d'être inaugurée en grande pompe à New York le 28 octobre 1886.

À l'assaut des nuages

▲ «Gratte-nuages»: ce fut le nom donné en 1888 par l'architecte Buffington aux premiers gratte-ciel.

À la fin du XIXe s., le manque de place, le prix élevé du terrain et l'esprit de compétition amènent les villes américaines à la construction verticale. Chicago puis New York multiplient les premières tours, orgueilleux symboles de la puissance d'une nation matérialisée dans le paysage urbain.

De la ville horizontale à la ville verticale

L'archétype achevé du gratte-ciel, le Home Insurance Building (aujourd'hui disparu), est construit à Chicago en 1885 par William Le Baron Jenney. Si Chicago est précurseur en la matière, les **cast-iron de SoHo**, érigés dans les années 1860, annoncent déjà les gratte-ciel : le **Haughwout Building** (1857 ; *p. 80*) est le premier immeuble à disposer d'un ascenseur Otis (*p. 23*). New York ne reste d'ailleurs pas longtemps à la traîne : en 1910, elle compte deux fois plus de gratte-ciel que Chicago.

Le **Bayard Condict Building** (1897-1899), unique œuvre new-yorkaise de Louis Sullivan, et le **Flatiron Building** (1902 ; *p. 95*), de Daniel Burnham, marquent le début de l'ère des gratte-ciel à New York. Bien qu'elle ne fût pas très haute (87 m), les gens étaient persuadés que la « folie de Burnham » ne résisterait pas aux vents qui soufflaient dans 23rd St. Avec 241 m de haut et 60 étages, le **Woolworth Building** (1913 ; *p. 68*) fut baptisé « cathédrale du commerce » en raison de l'exubérance de son décor néo-gothique, qui inspira toute une génération d'architectes.

Le gratte-ciel s'habille Art déco

Le gratte-ciel peaufine peu à peu son décor pour promouvoir l'image de son commanditaire : la nuit, il brille comme une enseigne publicitaire géante. Fortement influencés par l'Exposition des Arts décoratifs de 1925 à Paris, les architectes new-yorkais délaissent les fioritures gothiques au profit du style Art déco. Le **Chrysler Building** (1930 ; *p. 103*) est la quintessence de l'application de ce style aux gratte-ciel. Le complexe du **Rockefeller Center** (1933 ; *p. 106*) utilise lui aussi l'Art déco dans l'ornementation des façades et des espaces publics.

La Zoning Law

En 1916, les autorités, inquiètes de la poussée verticale de la ville, font voter la Zoning Law pour réglementer la hauteur des constructions. Cette loi fait suite à la controverse déclenchée par la construction de l'**Equitable Building** (1915 ; *p. 64*), dans le quartier de Wall St. : le mastodonte est accusé de priver de lumière les rues avoisinantes. Il est donc décidé que les parties hautes seront désormais construites en retraits successifs, ce qui donne aux gratte-ciel de cette époque des airs de pyramides à degrés. En règle générale, le volume d'un immeuble ne doit pas excéder 12 fois sa superficie, et la hauteur, deux fois et demie la largeur de la rue. Le **Chrysler Building** (1930 ; *p. 103*), l'**Empire State Building** (1931 ; *p. 98*) et l'**Irving Trust Building** (1931 ; *p. 63*), comme beaucoup d'autres, ont été construits selon ces normes.

Droits aériens : l'air vaut de l'or

Aujourd'hui, si un immeuble n'utilise pas la totalité de la hauteur à laquelle il a droit, son propriétaire peut vendre ce volume d'air à un promoteur qui pourra l'« utiliser » pour surélever le bâtiment voisin, moyennant le paiement de sommes élevées. C'est ce qui explique la disparité des hauteurs d'immeubles dans les rues new-yorkaises. Ainsi, sur 5th Ave., le joaillier français Cartier a vendu très cher son espace aérien à l'**Olympic Tower** *(p. 111)*, le joaillier Tiffany & Co à la **Trump Tower** *(p. 114)* et le grand magasin Saks Fifth Avenue, aux immeubles de bureaux qui l'entourent.

Le triomphe du mur-rideau

Les années 1950 voient le modernisme du style International s'imposer : la grande pureté des lignes et l'uniformité des surfaces extérieures, couvertes d'un mur-rideau réfléchissant, accentuent la verticalité des bâtiments. La **Lever House** (1952) et le **Seagram Building** (1958), sur Park Ave., en sont les prototypes.

Dans les années 1970, on cherche à mieux intégrer l'édifice dans la cité en y aménageant des espaces publics (fontaines, verrières, terrasses, salles d'exposition, etc.). En 1974, les tours jumelles du **World Trade Center** bouleversent la *skyline*. L'**Olympic Tower** (1976 ; *p. 111*) et la **Trump Tower** (1983 ; *p. 114*) illustrent un nouveau concept qui a fait école : luxueux appartements, boutiques et bureaux coexistent dans le même bâtiment, autour d'un atrium arboré.

Les tendances de l'ère postmoderne

Le **Sony Building** (1984 ; *p. 115*) est le premier gratte-ciel de l'ère postmoderne. Coiffé d'un fronton rococo de style Chippendale, couvert d'un revêtement de granit, il témoigne d'un retour aux formes passées, en réaction aux « boîtes de verre » typiques du style International.

Parmi les derniers-nés : l'immeuble **Condé Nast** (1999), la **tour LVMH** (1999 ; *p. 115*), le **Time Warner Center** (2004 ; *p. 128*) avec ses deux tours monumentales (230 m de haut) et le nouveau **siège du New York Times** sur la 8th Ave. (2006).

Les citernes à eau

Curieuses survivances du passé, les citernes à eau *(water tanks)* de forme circulaire juchées au sommet des immeubles étonnent toujours les visiteurs. À partir de 1896, la pression de l'eau n'étant pas assez forte pour alimenter les immeubles dépassant six étages, la Rosenwach Company installe des réservoirs. Le bois est le matériau qui présente les meilleures garanties de conservation ; le sommet conique abrite en outre un système électrique qui évite à l'eau de geler. Pour dissimuler ces réservoirs disgracieux, les architectes les ont masqués par des tours, des flèches ou des coupoles décorées. Qui pourrait dire que le sommet rutilant du Crown Building ou celui de l'hôtel Pierre (tous deux sur 5th Avenue) cachent un réservoir d'eau ? C'est dans le Village que les réservoirs à eau perchés sur les toits sont les plus nombreux.

L'ascenseur de M. Otis

En 1853, Elisha Otis organisa une démonstration de son ascenseur à l'exposition du Crystal Palace de New York. Pour démontrer l'efficacité des freins de sécurité, il fit couper les câbles de l'appareil en restant à l'intérieur.

Le premier ascenseur à passagers fut installé dans le Haughwout Building à SoHo en 1857. En 1861, Otis déposa un brevet qui garantit la prospérité de sa société. Cet ascenseur, mû par un treuil à vapeur, était encore encombrant et peu pratique. Il fallut attendre les années 1880-1890 et la réalisation d'un moteur électrique pour que son usage se généralise.

▲ À g.: les murs-rideaux multiplient à l'infini l'image orgueilleuse de la ville verticale. À dr.: le Trump Park East Building dans Upper Midtown.

▲ St Patrick's Cathedral (1878), de style néogothique, cernée par les tours.

▶ De haut en bas : Le City Hall (1802-1812), siège de la mairie de New York, marquait, lors de sa construction, la limite nord des zones bâties.
E. Ann Seton Memorial. La maison de brique (1793) et l'église (1883) sont les seuls vestiges de l'alignement de style fédéral qui bordait State St.
Le *cast-iron* (fonte moulée) apparaît entre 1845 et 1860, à SoHo (ici Little Singer Building).

architecture

Les styles d'une ville

Pour le visiteur, New York est avant tout la ville des gratte-ciel. Depuis l'arrivée des Anglais, son architecture n'a pourtant cessé de se métamorphoser en intégrant modes et influences venues d'Europe. Le XIXe s. et le début du XXe s. se caractérisent par un éclectisme tous azimuts.

L'époque coloniale

Avec ses maisons de brique et ses toits à pignon, l'architecture de la période prérévolutionnaire est restée marquée par l'influence hollandaise. De cette époque date **Dyckman House** *(p. 136)*, une ferme hollandaise typique avec son porche et son toit en saillie (1795). Caractéristique de l'influence anglaise en revanche, le style georgien de **St Paul's Chapel** *(p. 68)*, la plus ancienne église de la ville (1766), de **Morris Jumel Mansion** et de **Fraunces Tavern** *(p. 57)*, qui évoque l'Angleterre des rois George Ier et George II (XVIIIe s.).

L'indépendance

Le style fédéral (1789-1825), issu de la guerre d'Indépendance, se substitue au style georgien, qui rappelait trop la domination anglaise. Toits à double versant et colonnes doriques remplacent frontons et ordre corinthien. Le **City Hall** *(p. 69)* et **Hamilton Grange** en sont de bonnes illustrations.

« Revival », un air de déjà-vu

La mode des *Revivals*, qui met au goût du jour les styles du passé, a marqué l'architecture du XIXe s. À partir des années 1830, le *Greek Revival* (néogrec) fait un malheur à New York : les temples grecs fleurissent, bâtiments publics et constructions résidentielles s'ornent de frontons, de corniches et de portiques à colonnes. En témoignent **Federal Hall** *(p. 63)*, **Colonnade Row** *(p. 90)*, ou encore les demeures de **Washington Sq. North** *(p. 83)*. À la même période, le *Gothic Revival* (néogothique), inspiré du gothique européen, s'impose dans les édifices religieux et dans le décor de certains bâtiments civils. **Trinity Church** *(p. 62)* et **St Patrick's Cathedral** *(p. 111)* serviront de modèle à bon nombre d'églises aux États-Unis. Moins austère, le *High Victorian Gothic* (gothique victorien) fait une percée dans les années 1860.

La fonte, au secours de la Renaissance

Entre 1845 et 1860, période de prospérité économique, New York hésite entre le raffinement de la Renaissance italienne et les fastes du Second Empire. L'opulence des immeubles haussmanniens laisse peu d'architectes indifférents. On notera cette influence dans les alignements d'habitations individuelles en grès brun *(brownstone)* agrémentées de façades décorées à l'italienne. Le *cast-iron* (fonte moulée) apparaît dans les bâtiments commerciaux comme le **Haughwout Building** *(p. 80 et 21)*. Ce matériau révolutionnaire permit d'alléger considérablement les structures porteuses, ouvrant la voie aux gratte-ciel du XXe s. *(p. 21)*.

Les fastes du style Beaux-Arts

Le style Beaux-Arts, lancé par des architectes formés aux Beaux-Arts à Paris, a marqué le début du XXe s. Il satisfait le goût de la pompe et du gigantisme de l'Amérique de l'époque et la mégalomanie de quelques-uns : **New York Public Library** *(p. 100)*, **Pierpont Morgan Library** *(p. 100)*, **Custom House** *(p. 57)*, **Grand Central Terminal** *(p. 102)* en sont les plus beaux exemples. Ses grands maîtres d'œuvre furent Cass Gilbert, Warren et Westmore, McKim, Mead et White. ●

●●● Pour le style Art déco, voir p. 108-109.

Le rêve américain

▲ New York est un *« singulier mélange de loi et de désordre »* (Jerome Charyn).

Si la ville américaine a inventé le plus court chemin entre l'enfer et le paradis, New York en est une parfaite illustration. Ses rues, en apparence uniformes, sont d'invisibles frontières sociales et culturelles. Passer de l'une à l'autre est un voyage éclair du pays des dollars au quart-monde. Un moment d'inattention, une station de bus manquée, et vous voilà plongé dans un univers inconnu, parfois inquiétant, comme dans *Le Bûcher des vanités* (1987), le roman de Tom Wolfe, qui décrit bien la fulgurante descente aux enfers d'un golden boy de Wall Street égaré dans le Bronx et dont la vie bascule en un fatal instant.

Au-delà de 95th Street, la luxueuse 5th Avenue redevient une Cendrillon d'après minuit. Les terrains vagues et les immeubles insalubres jouxtent les îlots de luxe. Si cette proximité peut sembler indécente aux Européens, la plupart des New-Yorkais ne la voient plus, tant elle leur est familière.

New York cosmopolite

La rue new-yorkaise est une incroyable palette de couleurs, travaillée et enrichie par les hasards de l'immigration. Pagodes chinoises, mais aussi coupoles ukrainiennes ou marchés indiens se télescopent sur le macadam new-yorkais. Sa vocation de terre d'accueil ne s'est jamais démentie, et ses immigrants sont originaires de plus d'une centaine de pays différents.

Du « melting pot » à la salade composée

Si les immigrants d'hier ont été absorbés dans le fameux *melting pot* des années 1960, l'assimilation est aujourd'hui bien différente ; les nouveaux venus ne sont plus prêts à perdre leur identité culturelle pour devenir américains. Aujourd'hui on parle plutôt d'une salade composée, où chaque ingrédient apporte à l'ensemble sa saveur particulière.

À New York, comme à Los Angeles, s'ils détiennent toujours le pouvoir économique, les Blancs (non hispaniques) ne représentent plus que 37 % de la population, et 28 % des habitants de la ville sont nés à l'étranger. La langue espagnole talonne l'anglais.

Le nouveau visage de l'immigration

L'Amérique a beau ne plus trop faire rêver les Américains nés sur son sol, le mythe du pauvre hère devenu richissime n'en demeure pas moins vif dans l'esprit des immigrants de fraîche date.

Les Coréens travaillent 18 heures par jour dans leurs épiceries pour se faire une place au soleil, à l'image des juifs et des Italiens au XIXe s. Les chauffeurs de taxi, mal rémunérés, sont recrutés parmi les nouveaux venus : il suffit de savoir conduire et de connaître quelques rudiments d'anglais. Les Hispaniques (Colombiens, Dominicains, Portoricains, Équatoriens) sont maintenant presque aussi nombreux que les Noirs. Dans leurs quartiers du Bronx, du Queens ou dans Spanish Harlem (*p. 131*), les enseignes sont en **spanglish**, un mélange d'anglais et d'espagnol. Jamaïcains et Haïtiens ont élu domicile à Brooklyn (*p. 138*), dans les quartiers de Flatbush et Crown Heights. Les enseignes de Brighton Beach (Brooklyn) – baptisée « Little Odessa » depuis que les Russes l'ont investie – sont écrites en caractères cyrilliques. La communauté grecque s'est regroupée dans le Queens (*p. 144*). Mais ce brassage ethnique n'abolit ni les divisions sociales et religieuses ni la prise de pouvoir des uns sur les autres, et les conflits intercommunautaires sont fréquents dans les quartiers sensibles.

Des quartiers en mutation

La carte ethnique de la ville n'est jamais figée. Au XIXe s., chaque communauté en exil s'est approprié un espace et y a importé ses **repères culturels**. Les regroupements se sont opérés par région ou par ville d'origine, les hommes jouant la carte de la solidarité : on est napolitain avant d'être italien, cantonais avant d'être chinois. L'**appartenance religieuse** est également déterminante. En constante mutation, les limites des quartiers sont floues et sans cesse redéfinies par le recul d'un groupe ou l'expansion d'un autre. Ainsi, la communauté chinoise s'installe progressivement dans les territoires traditionnellement occupés par les Italiens (Little Italy; *p. 76*) et les juifs d'Europe centrale (Lower East Side; *p. 77*). Une « deuxième Chinatown » s'est créée dans **Flushing** (Queens), où les Chinois cohabitent avec les Roumains, les Coréens et les Indiens, et une troisième à **Borough Park** (Brooklyn).

En période électorale, les politiciens doivent désormais compter avec les **groupes de pression** *(lobbies)* qui représentent ces minorités, au demeurant fort influentes.

Les récentes transformations

Il y a une dizaine d'années encore, New York était le symbole de l'insécurité urbaine. Le maire républicain **Rudolph Giuliani** (1993-2001) a centré son action sur la lutte contre la petite et la grande délinquance. L'image de la ville s'est grandement améliorée, et les chiffres de la criminalité en ville ont chuté de façon spectaculaire.

► Apparu dans les années 1960 du côté de Harlem, le graffiti, ou tag, devient dans les années 1970 un véritable phénomène urbain aux États-Unis.

Tolérance zéro

Sous l'impulsion de Giuliani, la police new-yorkaise a suivi une nouvelle stratégie de dissuasion inspirée de la **théorie du « carreau cassé »**, élaborée en 1982 par Kelling et Wilson, selon laquelle les déprédations mineures encouragent des crimes plus graves. Ainsi, par exemple, tagger les wagons, faire la manche et resquiller dans le métro sont des actes désormais passibles d'amende sévère. Et ça marche ! Statistiques à l'appui, crimes et délits ont baissé de 68 % durant les huit années que Rudolph Giuliani a passées à la mairie. Son successeur républicain, **Michael Bloomberg**, élu en novembre 2001, marche sur ses traces. Selon le FBI, New York est maintenant la troisième ville la plus sûre des États-Unis.

La renaissance de Harlem

Symbole du ghetto noir américain, Harlem *(p. 131)* ressemblait, il y a quelques années encore, à une ville en guerre : trottoirs défoncés, vitres brisées, façades lépreuses, terrains vagues

© B. Rieger/Hémisphères Images

© B. Perousse

et nombreux coupe-gorge. S'il n'a pas vaincu tous ses démons, on murmure qu'il va mieux. On parle même d'une « nouvelle renaissance » (en référence à la Harlem Renaissance des années 1920, *p. 31*).

La rénovation du quartier

De fait, les programmes sociaux se succèdent. Le quartier, qui a été classé « prioritaire » dans les programmes de réhabilitation, a reçu d'importants crédits fédéraux. Les quelque 300 paroisses du quartier jouent un rôle non négligeable en créant une véritable chaîne de solidarité autour des personnes touchées par la drogue et le sida. The Harlem Urban Development Corporation, une association de développement de quartier, multiplie les projets culturels et commerciaux. Et les investisseurs sont de retour : la bourgeoisie noire, qui l'avait déserté dans les années 1960, a investi dans le business local et revient s'installer du côté de Washington Heights *(carte p. 131)*. Les enseignes The Body Shop, GAP, Disney Store, Duane Reed (le supermarché du médicament) et les fast-foods McDonald's y ont ouvert des succursales, ce qui ne s'était jamais vu. Quelques nouveaux blocs ont été construits du côté de 138th Street. Bill Clinton y a même installé ses bureaux.

Un retour aux sources

On assiste également à un retour aux racines de la culture noire : l'Afrique, avec ses boubous et ses grigris, s'installe sur les trottoirs de Martin Luther

▲ Billie Holiday débuta à l'Apollo Theater, comme tant d'autres stars mythiques du jazz.

harlem

De la ville blanche au ghetto noir

Avec ses immeubles cossus, ses larges avenues inspirées des boulevards parisiens, Harlem « semblait sortie d'un conte des *Mille et Une Nuits* »...

Un village hollandais

En 1658, un village fondé par **Peter Stuyvesant** au niveau de l'actuelle 125th St. reçut le nom d'une ville des Pays-Bas, Haarlem. C'était un village fortifié, sentinelle destinée à faire fuir Iroquois et Algonquins. Vers 1760, les descendants des pionniers hollandais bâtirent ici leurs fermes, remplacées un siècle plus tard par de luxueuses résidences secondaires.

Chassé-croisé

En 1900, la création d'une ligne de métro reliant Manhattan à Harlem incita les promoteurs à multiplier les investissements dans cet élégant faubourg. Des immeubles de rapport furent construits, les rues pavées et de larges avenues tracées. Mais la crise se profilait déjà à l'horizon, et beaucoup d'appartements ne trouvèrent pas preneur. Pour sauver leur mise, des propriétaires acceptèrent de louer à la bourgeoisie noire, habituellement exclue des beaux quartiers. Son installation massive, bientôt suivie de celle des familles modestes venues du Sud profond ou des Caraïbes, déclencha le départ des Blancs.

Le ghetto noir

Harlem, ville créée par et pour les Blancs, avait bien plus d'attrait que les ghettos noirs des autres villes américaines. Dans les années 1920, elle comptait déjà près de 200 000 habitants et se peuplait d'autant plus vite que les Noirs étaient bannis des quartiers situés au sud de la 95th St. Sortir du ghetto, c'était être confronté au racisme ordinaire ; y rester, c'était vivre en prison.

Harlem Renaissance

Malgré ce climat d'apartheid, les années 1920 virent éclore les plus beaux talents de la *black culture* quand Harlem chantait et dansait sur fond de **jazz**. En pleine Prohibition, on organisait, dans les appartements privés, des *rent parties*, des spectacles « faits maison », qui permettaient de payer son loyer. Quelques danseuses, un bon pianiste de jazz et une baignoire remplie de gin faisaient l'affaire. Les grands noms du jazz – Charlie Parker, Dizzy Gillespie, Count Basie... – ont tous débuté dans les *rent parties* avant de pouvoir se produire dans les clubs.

Le berceau du jazz

C'est à l'**Apollo Theater** *(p. 134)*, le temple mythique du jazz, que le public découvrit Ella Fitzgerald, Billie Holiday, Sarah Vaughan, James Brown et bien d'autres. La jeunesse blanche, conquise, « montait » s'encanailler dans les boîtes de Harlem, à l'abri des regards bien pensants de l'*upper middle class*. Cadillac et Rolls Royce débarquaient les élégantes sur les trottoirs du légendaire **Cotton Club**. Le plus glamour des cabarets, animé par l'orchestre de Duke Ellington, mit les noms de Lena Horne et de Joséphine Baker à l'affiche. Le propriétaire blanc employait des Noirs mais refusait les clients de couleur, comme dans la plupart des clubs de l'époque. Le lieu leur fut interdit jusqu'en 1934 et ferma ses portes en 1940. ●

King Jr Boulevard et dans les centres culturels. Les Blancs reviennent écouter du **jazz** à l'Apollo Theater *(p. 134)*, des **gospels** dans les églises et goûter la ***soul food*** (cuisine épicée du sud-est des États-Unis).

Alors, renaissance ou frémissement illusoire ? À qui bénéficiera vraiment ce réveil économique et culturel ? Les cicatrices du passé sont encore bien visibles dans le paysage urbain et dans la mémoire collective de ses habitants.

Le nomadisme urbain

Manhattan n'est pas l'endroit idéal pour élever des enfants ni prendre sa retraite. Les taxes élevées, la hausse vertigineuse des loyers, le rythme de vie trépidant ont fini par éloigner bien des familles de la **classe moyenne**, qui se sont repliées sur les banlieues où la qualité de vie est supérieure (New Jersey, Queens ou encore Staten Island). À Manhattan, les foyers dépensent en moyenne 35 % de leurs revenus pour se loger. Il faut compter 2 000 dollars par mois pour un studio d'environ 30 m² dans un quartier correct à peine central. Les **célibataires** et les **couples sans enfants** sont majoritaires à New York.

Émigrer à l'intérieur de la ville est devenu une seconde nature. Les **artistes**, en particulier, sont de véritables nomades urbains : à Manhattan, le quartier de **SoHo** *(p. 79)*, trop à la mode, est désormais hors de prix ; **TriBeCa** et **East Village** *(p. 81 et 87)* ont suivi le même processus. Dernier point de chute des artistes – et même des yuppies branchés : le quartier juif de Williamsburg, dans Brooklyn. C'est en dehors de Manhattan, certes, mais encore bon marché.

Les familles appartenant aux **minorités** qui veulent rester dans Manhattan y vivent dans des conditions souvent précaires. Quant aux personnes âgées, leur nombre est en baisse constante : la retraite est bien plus douce sous le ciel de Floride ou de Californie.

New York en fête

▲ Insolite et fantaisie à Greenwich Village, musique et fête à Harlem… Portrait d'une ville qui bouge.

C'est en l'honneur du général La Fayette, reçu à New York en 1824, que fut organisée la première parade. Et la tradition perdure, car en Amérique, chaque événement de l'année est prétexte à la fête. Costumes, pluies de confettis, flonflons patriotiques ou jazz endiablé : les fêtes new-yorkaises n'engendrent pas la mélancolie !

Programme

- **Earth Day** (journée de la Terre, du 20 au 23 avr.) : **Parade for the Planet** (le 22) sur 5th Ave. jusqu'au musée d'Histoire naturelle. Une parade utile d'origine récente, lancée par les écologistes. On se déguise en pomme de terre, en courgette ou en chou-fleur.
- **Columbus Day Parade** (le 2e lun. d'oct.) : parade sur 5th Ave., entre 44th et 86th Sts, puis vers l'est jusqu'à 3rd Ave. Défilés et concerts, pour fêter la découverte de l'Amérique par Christophe Colomb.
- **Greenwich Village Halloween Parade** (le 31 oct.) : c'est la parade de l'année ! Elle part de Greenwich Village pour arriver à Union Sq. ; à partir de 18 h, sur 6th Ave. (le parcours peut varier). À la veille de la Toussaint, fantômes, squelettes et sorcières font une sarabande que les citrouilles éclairent dans la nuit.

◄ Macy's Thanksgiving Day Parade : le dernier jeudi de novembre, entre 9 h et midi. Défilé coloré, chars, fanfares... Des ballons multicolores gonflés à l'hélium caracolent sur la 5th Ave. Née dans les années 1920, elle célèbre la première récolte des colons américains au XVIIe s.

Plus de 600 parades !

Fête religieuse ou fête nationale, élection présidentielle, marche de protestation aussi, tout événement est prétexte à défiler, de préférence sur la 5th Avenue, la voie royale des parades. Les héros de l'Amérique comme Kennedy ont tous eu droit à leur *Ticket Tape Parade* : 3 474 tonnes de confettis furent lancées sur l'astronaute John Glenn, le premier Américain à avoir séjourné dans l'espace, le 1er mars 1962.

Parader ensemble, c'est partager un héritage commun, des valeurs, des choix de vie ou des rejets.

Thanksgiving

La fête du « merci-donnant » commémore le premier repas partagé par les colons avec les Indiens en 1621, un an après leur arrivée sur le Mayflower à Plymouth dans le Massachussets. Sans doute les premiers colons n'auraient-ils pas survécu à leur première année dans le Nouveau Monde sans l'aide apportée par les Indiens au quotidien. Qu'importe si ce premier repas fut on ne peut plus frugal : gibier d'eau, poissons et coquillages, maïs et citrouille... Cette fête est aujourd'hui placée sous le signe de l'abondance. Thanksgiving donne le coup d'envoi des fêtes de fin d'année et réunit toute la famille autour d'un plantureux repas : tarte à la citrouille, dinde rôtie et farcie servie avec de la gelée d'airelles, des pommes de terre et des galettes de maïs entre autres douceurs. Pour Thanksgiving, les vitrines sont féeriques ; on patine au Rockefeller Center, au pied d'un arbre de Noël géant... Le week-end qui suit est l'un des plus chargés sur les routes américaines, et New York se vide de ses habitants. ●

La boule de la Saint-Sylvestre

C'est sur l'emplacement d'un ancien marché aux chevaux, Longacre Sq., que le quotidien *New York Times* choisit d'installer ses bureaux en 1904. C'est alors que se dessine le triangle de Times Sq., entre 42nd et 47th Sts. Le 31 décembre 1904, l'inauguration de l'immeuble donna lieu à une fête grandiose et à la naissance d'une tradition. Chaque 31 décembre, à l'approche du Nouvel An, toute la ville célèbre le New Year's Eve Ball Drop : près d'1 million de personnes se retrouvent sur Times Sq. et scandent en chœur les 12 coups de minuit, les yeux rivés sur une sphère couverte d'ampoules qui descend du toit de l'ancien Times Building. ●

traditions

La vitrine de l'Amérique

▲ Orage sur New York vu d'un loft de Chelsea.

New York est depuis longtemps une ville très active dans les domaines artistique et culturel. Après le faste des années 1920, marqué par une grande **émulation artistique et culturelle**, et interrompu par les tourments de la grande Dépression, la scène artistique new-yorkaise n'a rien perdu de son prestige.

Les glorieuses années 1920

En 1913, l'**Armory Show**, une extraordinaire exposition internationale, fait découvrir à l'Amérique les dernières tendances de l'art moderne européen dans un parfum de scandale. En 1929, le premier **Museum of Modern Art** *(p. 112)* ouve ses portes sur 5th Ave. Le quartier noir de Harlem connaît alors l'explosion d'un phénomène musical importé du vieux Sud, le **jazz**, qui trouve un écho dans toute l'Europe. Broadway invente la **comédie musicale** et s'impose comme la scène privilégiée de la vie théâtrale américaine *(p. 38)*.

La capitale intellectuelle de l'Amérique

Dès la fin du XIXe s. déjà, un certain New York tourne le dos à une société victorienne surannée, socialement stratifiée et terriblement pyramidale, au sommet de laquelle règne une caste d'aristocrates, issus de vieilles familles coloniales, qui cultivent élitisme et népotisme. Les idéaux qui triomphent au tournant du siècle – la liberté d'expression, la tolérance, le cosmopolitisme – attirent les intellectuels à New York. Écrivains, poètes, peintres exilés d'Europe, mais aussi de toute l'Amérique, forment une société brillante, ouverte et non conformiste. **La bohème artistique** se choisit un fief, le quartier encore très campagnard de **Greenwich Village** *(p. 82)*, où naissent les avant-gardes. New York a manqué son destin de capitale politique de l'Amérique, mais pas celui de capitale culturelle et intellectuelle, position qu'aucune autre ville ne saurait lui disputer. Manhattan abrite les meilleurs organes de **presse**, les plus grandes maisons d'**édition**, des **universités** prestigieuses, les plus beaux **théâtres**, de très nombreux **musées** et de remarquables institutions culturelles financées par de grands mécènes.

New York et le septième art

Les découvertes de **Thomas Edison** (1847-1931) dans le domaine du son (phonographe) et de l'image (kinétoscope), alliées à un solide sens du commerce, ont fait de lui l'un des pionniers du cinématographe. Fondateur de la **Motion Picture Patent Company** (compagnie cinématographique créée en 1908) – et du « Trust » –, il déposa plus de 1 000 brevets, contrôlant ainsi toutes les étapes de la production. L'industriel **George Eastman** (fondateur de la Eastman Kodak Company en 1892) accorda au Trust l'exclusivité de la vente de ses pellicules, et les exploitants furent tenus de payer une taxe sur l'utilisation du projecteur breveté. La guerre entre le Trust et les indépendants – menés par **Carl Laemmle** des **studios Universal** de Los Angeles – fit rage. Dès 1909, pour fuir le monopole d'Edison, la plupart des compagnies cinématographiques implantèrent leurs studios à **Hollywood**, tout en conservant leur siège sur la côte est. Outre l'indépendance, elles y appréciaient la beauté de la lumière et des décors naturels ainsi que l'absence quasi totale de syndicats.

© E. Petersen/Upi/Gamma

spectacle

La plus grande scène du monde

Au cœur du quartier des théâtres, Times Square est peut-être le lieu le plus emblématique de New York, le concentré d'une certaine Amérique, avec son inlassable énergie et son côté mi-Las Vegas, mi-Pigalle.

Le carrefour des lumières

C'est au début du XXe s. que les premières salles de spectacles et les premiers néons firent leur apparition sur Times Square, au croisement de Broadway et de 7th Avenue. L'affluence des piétons et des voitures à ce carrefour attira bientôt les annonceurs et leurs panneaux publicitaires, au point qu'on surnomma Times Square «the crossroad of the world» (le carrefour du monde) et Broadway, «the great white way» (la Voie lactée). Times Square connut la gloire quand le mythe de Broadway était à son zénith.

Mythique Broadway

Au début du XXe s., on y jouait dans toutes les langues: Max Reinhardt montait Shakespeare en allemand, Stanislavski jouait Tchekhov en russe, Sarah Bernhardt interprétait ses rôles dans des pièces jouées en français. Le **Theater District** était à l'origine un ruban de deux kilomètres (de 13th à 45th Streets), qui s'est rétréci avec le temps. Les salles de la **Shubert Alley** (W44th et 45th Streets) étaient les plus réputées.

Le 26 décembre 1927, Broadway enregistra un record: 264 productions et 11 générales le même soir! La **comédie musicale**, spectacle d'un nouveau genre, fit de Broadway un label reconnu dans le monde entier. Irving Berlin, George Gershwin *(Porgy and Bess)*, Cole Porter ou Jerome Kern *(Show Boat)* donnèrent à ces spectacles musicaux leurs lettres de noblesse. Les années 1950 virent triompher de grands **auteurs de théâtre** (Tennessee Williams, Eugene O'Neill, Arthur Miller, Neil Simon, etc.) et des monstres sacrés formés à l'école de l'Actors Studio de Lee Strasberg (Marlon Brando, Paul Newman, Lauren Bacall); les auteurs étrangers (Sartre, Ibsen, Ionesco) n'étaient pas en reste. Le public se montrait fin connaisseur et la critique assassine. Aux États-Unis, Broadway devint un passage obligé pour tout nouveau spectacle, avec un pont d'or à la clé, ou... un enterrement de première classe.

▲ New York évoquait pour Henry James (1843-1916) *« un peigne cassé, les dents en haut »* (*American Scene*, 1907).

Un lifting salutaire

Tombés un temps en désuétude ou transformés en cinémas pornos, les plus beaux théâtres de Broadway (le New Amsterdam Theatre, le Winter Garden, le Palace Theatre, etc.) ont retrouvé leur faste d'antan. Les spectateurs affluent pour assister aux meilleures comédies musicales *(musicals)* qui, pour certaines, sont à l'affiche depuis plusieurs années ! Seules les salles de plus de 299 places, situées entre les 42nd et 54th Streets sont étiquetées « Broadway Theatre », une appellation strictement contrôlée. On y trouvera surtout des comédies musicales commerciales, d'ailleurs souvent excellentes (Chicago, 42nd St., The Lion King, *p. 165*) ou des reprises avec des acteurs célèbres (comme Melanie Griffith, Whoopi Goldberg ou Vanessa Redgrave).

Mais les amoureux de la mythique Broadway ont le blues, malgré les néons qui embrasent plus que jamais Times Square. On fustige en vrac le coût pharaonique des productions, la gourmandise des stars et la rigidité des syndicats qui font monter le prix des places (jusqu'à 150 $). Dès les années 1950, les amateurs se sont tournés vers le Off-Broadway (Hors Broadway), attirés par des pièces moins commerciales dans des salles plus intimes (de 99 à 299 places). ●

◀ Pour les amateurs de théâtre pur et dur, le Off-Off Broadway demeure le véritable laboratoire de la création théâtrale contemporaine.

Dans les années 1920, les studios **Astoria**, appartenant à la Paramount, et ceux de la Fox ne contrôlaient plus que 40 % de la production nationale. Tandis qu'Hollywood se spécialisait dans le film d'action, New York s'aventurait du côté du film intimiste et intellectuel. Les cinéastes **Woody Allen**, **Sidney Lumet** ou **Martin Scorsese**, restés fidèles à New York, ont souvent été qualifiés de « marginaux ». Aujourd'hui, beaucoup s'insurgent contre le monopole d'Hollywood et viennent tourner à New York.

L'AVENTURE DU « NEW YORK TIMES »

Fondé en 1851, le quotidien *New York Times* est dirigé depuis 1896 par un membre de la famille d'origine allemande Ochs Sulzberger.

Le *Times* a gagné ses galons en ouvrant ses colonnes à toutes les parties prenantes du conflit pendant la Première Guerre mondiale. Il est aujourd'hui considéré comme le meilleur journal au monde et le plus influent de la planète. Sa couverture des événements du 11 septembre 2001 et de la guerre en Afghanistan lui a valu sept prix Pulitzer. Les quelque mille collaborateurs s'attachent chaque jour à ce que le lecteur y trouve « All the news that's fit to print » (toutes les informations dignes d'être publiées). Le *Times* vient de racheter l'*International Herald Tribune*, fondé en 1887. La TCD, sa filiale *on-line*, cotée en Bourse, est un modèle du genre avec plus de 10 millions d'abonnés. www.nytimes.com.

Une vitrine culturelle

New York représente aujourd'hui encore un sésame pour qui veut voir s'ouvrir les portes de l'Amérique : une pièce de théâtre qui marche à **Broadway** est assurée d'un avenir radieux dans tout le pays. Le **Lincoln Center** *(p. 128)*, qui abrite le prestigieux **Metropolitan Opera**, se situe au firmament de la scène internationale. Les **défilés de mode** new-yorkais rivalisent avec ceux de Paris, de Londres et de Milan. Un phénomène récent dans un domaine où l'Europe affichait une suprématie totale. Dans les années 1970, le célèbre marchand d'art Leo Castelli, installé à SoHo *(p. 79)*, fit de New York la plaque tournante internationale de l'**art contemporain**.

Malgré la crise des années 1990, New York fait encore monter et descendre la cote des artistes sur le marché mondial. Ses quelque **150 musées** conservent un patrimoine d'une richesse inouïe. Parmi les plus prestigieux figurent le Metropolitan Museum of Art *(p. 120)*, le MoMA *(p. 120)*, le Guggenheim Museum *(p. 112)* et la Frick Collection *(p. 118)*.

La *world food*

▲ À l'hôtel, le petit déjeuner n'est jamais inclus dans le prix de la chambre (sauf B & B), prenez-le à l'extérieur !

New York serait-elle devenue un paradis pour les gourmets ? Grandes tables ou simples bistrots font mentir la fâcheuse réputation de la cuisine américaine. La ***world food***, c'est-à-dire la fusion des cuisines du monde entier, a trouvé là sa terre d'élection. À New York, la cuisine se nourrit d'influences lointaines. Profitez-en

© B. Grilly

pratique

Lexique pour les gastronomes

● **Appetizers ou starters** correspondent à nos entrées (crudités, terrines...).

● **Assaisonnement** *(dressing)*. Différentes sortes : *italian* (vinaigrette) ; *blue cheese* (roquefort) et *thousand islands* (sauce hollandaise). Pour la moutarde, demandez la Dijon, bien meilleure que la *french mustard* (moutarde dite française) pour accompagner viandes grillées ou hamburgers.

● **Entrées**. Ce sont les plats principaux (viande ou poisson, etc.). Les portions étant généreuses, vous pouvez vous contenter d'un plat unique, d'autant plus que ces plats sont précédés d'un potage ou d'une salade et accompagnés de frites *(french fries)* ou d'une pomme de terre bouillie *(baked potatoe)*. La salade la plus courante est la *Caesar's salad*, un émincé de romaine saupoudré de parmesan.

● **Specials**. Ce sont les plats du jour, affichés ou présentés par le serveur *(waiter)* en plus de ceux indiqués à la carte. Ils coûtent un peu plus cher que les plats à la carte.

● **Sandwich**. C'est un plat chaud qui comprend hamburger, frites et *cole slaw* (chou râpé à la crème).

● **Viande**. La préférence des Américains va aux viandes blanches, notamment le veau *(veal)* et le poulet *(chicken)*. L'agneau *(lamb)* et le canard *(duck)* sont servis bien cuits. Précisez si vous les préférez rosés *(pink)*. En revanche, le lapin *(rabbit)* et les abats sont pratiquement absents des assiettes américaines.

● **Cuisson**. Les Américains aiment la viande *well done*, c'est-à-dire bien cuite. Précisez *medium* si vous l'aimez à point, *rare* ou *extra rare* pour la viande saignante, et *black and blue* pour une cuisson bleue et grillée.

● **Dessert** *(dessert)*. Essayez le *cheesecake* (gâteau au fromage blanc), le *carrot cake* (gâteau aux carottes) et le *brownie* (gâteau au chocolat), qui sont des spécialités nationales. Si vous aimez la cannelle *(cinnamon)*, tant mieux : les Américains en mettent partout !

● **Pain**. *Rye* (seigle), *sourdough* (au levain), *white* (blanc), *whole grain* (complet). Au choix. Le matin, demandez des *toasts*, et non des *french toasts*, qui sont servis frits. ●

pour manger «ethnique»: essayez les pâtes et les pizzas italiennes, le **guacamole** et les **quesadillas** mexicains, les **sushis** japonais et les **dim-sum** chinois. Improvisations, associations osées de saveurs opposées raviront les palais les plus exigeants.

L'**ambiance** des restaurants new-yorkais est souvent chaleureuse et raffinée, le service plutôt souriant et efficace, les menus du déjeuner plus abordables qu'au dîner, même chez les grands. Le **prix moyen** d'un repas à New York est actuellement de 35 $, mais il est possible de se restaurer pour beaucoup moins chez un petit traiteur exotique ou dans un de ces *delis* qui fleurissent à tous les coins de rue.

À la fois restaurant et traiteur, le *deli* (abréviation de *delicatessen*, un mot yiddish) fait partie intégrante du paysage new-yorkais (consultez également notre sélection d'adresses, *p. 158*). Malgré l'éclairage au néon, le décor formica et l'accueil minimal, les delis ne désemplissent pas. On y sert des spécialités juives, comme les sandwichs au *pastrami* ou au corned-beef, les petits pains à l'oignon, les *blintzes* (crêpes fourrées), les *bagels* (du yiddish *beygel*; petits pains ronds fourrés de crème mélangée à du saumon, des morceaux de carottes ou des raisins secs, etc.). À essayer, l'*egg cream* est une boisson à base de lait froid, de chocolat et de soda.

La cuisine française tient le haut du pavé de la gastronomie, mais à prix d'or (sachez toutefois que les menus du déjeuner sont beaucoup plus accessibles que les dîners). **Réservez** toujours, surtout pour le brunch du week-end *(p. 155)*, qu'aucun New-Yorkais ne saurait manquer.

Notre coup de cœur: ◆◆◆◆ **Jean Georges**, 1 Central Park W, entre 59th et 60st Sts. Entrée dans le hall du Trump International Hotel. M° 59th St./Columbus Circle ☎ 299.3900. F. dim. Cuisine franco-asiatique sophistiquée et créative. Comptez un minimum de 100 $ par pers. sans les vins. L'autre restaurant, **Nougatine at Jean Georges**, est plus abordable (env. 60 $ par pers. sans les vins).

Boissons

Outre l'eau du robinet *(tap water)*, l'eau minérale *(mineral water)* et les jus de fruits et sodas *(soft drinks)*, essayez le Ginger Ale, très rafraîchissant. Le café *(coffee)* est servi très allongé. On peut en redemander à volonté *(refill)*. Pour un café plus corsé, précisez *expresso*. Un *cappuccino* est un café au lait saupoudré de chocolat ou de cannelle. Café au lait: *cafe latte* ou *white coffee*. Essayez aussi le thé glacé: *ice tea*.

Vins

80 % de la production nationale provient des vignobles de Californie. Vous pouvez consommer le vin au verre *(by the glass*, 7 à 15 $ env.) ou en bouteille (à partir de 20 $ env.).

Le chardonnay est un vin blanc sec (dry white wine), et le merlot un rouge (red Burgundy) chaleureux. Les vins français restent à l'honneur dans les meilleurs restaurants, dont les caves recèlent de véritables trésors.

New York : hier et demain

▲ L'un des projets de reconstruction du World Trade Center, visible au Winter Garden.

Première place boursière de la planète, mais d'un dynamisme contrasté, dans son histoire comme dans sa physionomie, New York suscite la controverse. Aujourd'hui, malgré les difficultés économiques et financières de l'après 11 septembre, la ville n'a d'autre choix que de penser à l'avenir.

L'après-guerre : des hauts et des bas

En 1945, New York est choisie pour abriter le siège de l'**Organisation des nations unies inauguré en 1951** *(p. 104)*, et voit ainsi s'accroître sa sphère d'influence dans le domaine international. En revanche, sa vitalité économique marque le pas dès les années 1960. Elle connaît une importante baisse de ses activités industrielles et portuaires. Tandis que les impôts locaux augmentent considérablement, pénalisant les entreprises, l'aide sociale devient un fardeau dans une ville où le chômage ne cesse de croître. Le déficit budgétaire atteint bientôt des profondeurs abyssales. **En 1975**, la ville se trouve **au bord de la faillite** et doit faire appel au gouvernement fédéral et à l'État de New York pour renflouer ses caisses vides. La population stagne autour de **8 millions d'habitants**. Tandis que les classes moyennes et aisées partent s'installer ailleurs, dans le New Jersey notamment, Manhattan se paupérise. Elle connaît aussi une mutation profonde de son économie : baisse du secteur industriel mais montée du **secteur tertiaire**, qui lui permet de retrouver un semblant d'équilibre.

Années 1980-1990 : la montée dans l'économie mondiale

Les années 1980 sont marquées par la **spéculation** à Wall Street, par l'ascension des yuppies *(young urban professionals)* et des golden boys. Mais dans la même décennie, New York connaît de nouveau des difficultés financières, aggravées par le **krach boursier** de 1987, puis par la **guerre du Golfe** en 1991.

Les années 1990 confirment cependant la place de New York dans l'économie mondiale. Wall Street devint la **première place boursière** de la planète. La construction d'immeubles de bureaux repart de plus belle ; les multinationales se doivent d'avoir leur siège à New York.

Le 11 septembre

Qui aurait pu dire, en ce matin de septembre, que cette journée se révélerait la plus tragique de toute l'histoire de la ville ? Deux avions détournés par des membres de l'organisation terroriste Al Qaïda percutent les tours jumelles du World Trade Center, si emblématiques de la puissance américaine, entraînant la mort de 2 801 personnes et faisant du bas Manhattan un cimetière à ciel ouvert.

Avec une superficie de 40,6 ha, le World Trade Center comptait 1 million de m² de bureaux et abritait 1 200 entreprises. C'était le plus grand complexe de bureaux du monde. L'ensemble se composait de sept bâtiments que dominaient les tours jumelles, hautes de 413 et 417 m et comprenant 110 étages. Il fallait une minute pour accéder au 107ᵉ étage de la tour WTC 2. Les tours étaient conçues comme deux tubes carrés de 63,5 m de côté et leurs fondations s'enfonçaient à plus de 22,5 m de profondeur. Avant le 11 septembre, 50 000 personnes se croisaient ici chaque jour, dans les bureaux, mais aussi en sous-sol, dans le métro, la gare ferroviaire, les parkings et les boutiques du centre commercial.

Au lendemain de la tragédie, il a très vite été question de la reconstruction du World Trade Center. Le projet de D. Libeskind (Freedom Tower) proposé en 2003 a été modifié en profondeur car jugé trop vulnérable. En juin 2005, David Childs a dévoilé une seconde maquette. Demeure la hauteur symbolique de 1776 feet (553 m, 1776 pieds, en hommage à la date de l'indépendance américaine) qui en fera la plus haute tour du monde.

La Freedom Tower s'inscrira dans un carré, à distance respectable des Vesey, Fulton et West Streets. La tour sera recouverte d'un mur-rideau, en verre renforcé. Les étages supérieurs seront occupés par des bureaux, un restaurant et un observatoire. Le toit sera surmonté d'une antenne conçue comme une sculpture. Au pied de la tour, un mémorial aux disparus devrait être aménagé. L'ensemble ne devrait pas être achevé avant 2010.

Le « Jeudi noir » d'octobre 1929

Après la Première Guerre mondiale, l'économie américaine, fondée sur un libéralisme absolu, vit dans l'optimisme et la fièvre de la spéculation boursière. Cependant, depuis les années 1927-1928, la production industrielle et les prix de gros montrent une tendance lente à la baisse dans différentes parties du monde. Aux États-Unis, les industries ont surestimé les capacités d'écoulement de leur production. À partir de 1930, les cours des matières premières et des produits agricoles s'effondrent. Le prix du blé tombe « à son niveau le plus bas depuis Christophe Colomb », peut-on lire dans la presse. Parallèlement, une crise financière, dont le « Jeudi noir » est le symbole le plus connu, frappe brutalement le pays. Après une période d'intense spéculation, les petits porteurs, inquiets de la valeur réelle de leurs actions, cessent d'acheter et se mettent à vendre. Le jeudi 24 octobre

1929, la panique s'empare de la Bourse de New York : 13 millions d'actions sont cédées en une journée. La crise entraîne la faillite de nombreuses banques, entreprises et particuliers qui se sont trop reposés sur le crédit. Le chômage prend alors des proportions alarmantes : en 1933, on compte plus de 12 millions de chômeurs aux États-Unis. Bientôt, la crise se généralise, favorisée par la structure du système financier international, très instable depuis 1919, et dépendant en partie des investissements américains en Europe. L'onde de choc frappe toutes les places boursières et la crise économique prend des dimensions planétaires.

▲ Les tours jumelles du World Trade Center vivront à jamais dans la mémoire collective.

RISTORANTE
PUGLIA
RISTORANTE
Est. 1919

© B. Perousse

Voici quelques suggestions pour découvrir New York sans perte de temps.

Procédez quartier par quartier, en privilégiant l'Upper Midtown, les grands musées d'Uptown, SoHo, Greenwich Village et Financial District.

Express (un week-end)

● **Jour 1**. Suivez une visite guidée d'une demi-journée en bus ou partez du **Rockefeller Center**** à pied en remontant **5th Ave.***** vers ♥ **Central Park****. Comptez 1h30 de visite pour découvrir le ♥ **MoMA**** (Museum of Modern Art), sur la W53rd St. Aux beaux jours, déjeunez au bord d'un étang dans Central Park puis shopping sur **Madison Avenue****. Descendez en bus jusqu'à la 34th St. pour explorer le grand magasin **Macy's*** et monter au sommet de l'**Empire State Building*****. Le soir, balade sur ♥ **Times Square****, avant et après le théâtre.

● **Jour 2**. Le matin, prenez le ferry vers la **statue de la Liberté***** et ♥ **Ellis Island***. Déjeuner à **South Street Seaport****. L'après-midi, promenade dans le **Financial District** et autour de **Ground Zero**. Dîner dans le **Meatpacking District** ou à **SoHo****.

◄ Guggenheim Museum : une architecture-sculpture autour d'un puits de lumière. Pages précédentes : Little Italy affiche son patriotisme sur cette façade typiquement new-yorkaise.

Séjour (une semaine)

Jours 1 à 2. Même programme que ci-dessus.

● **Jour 3**. Matinée : visitez le **Metropolitan Museum of Art***** puis explorez l'Upper West Side en faisant une halte par le musée d'Histoire naturelle ; déjeuner en terrasse sur Columbus Ave. ; après-midi, balade dans **Greenwich Village****.

● **Jour 4**. Matinée : visitez la ♥ **Frick Collection***** puis poussez jusqu'au **Guggenheim Museum**** ; après-midi shopping dans **SoHo****.

● **Jour 5**. Matinée : balade jusqu'à ♥ **Grand Central Terminal*** et visite de l'**ONU**** ; après-midi, visite de **Chinatown**** et de **Little Italy***, dîner dans le **Meatpacking District**.

● **Jour 6**. Matinée, petite excursion en bus ou en métro à **Harlem*** *(gospels le dim. matin)* ; après-midi, visite du ♥ **musée des Cloîtres*****.

● **Jour 7**. Matinée : promenade à pied sur le ♥ **pont de Brooklyn**** puis gagnez en métro la **Brooklyn Heights Promenade**** et flânez dans ♥ **Brooklyn Heights****. ●

Downtown Sud

© B. Rieger/Hémisphères Images

Le sud de Manhattan est à la fois le berceau historique et le quartier le plus futuriste de la ville. C'est au début du XVIIe s. que les premiers colons hollandais s'établirent sur le territoire ancestral des Indiens lenape. Fondée en 1624 à la pointe de l'île, la Nouvelle Amsterdam ressemblait alors à un modeste port hollandais. Mais de cette époque, seuls quelques vestiges souterrains sont encore visibles, relayés par l'écrasante modernité des gratte-ciel du Financial District.

▲ *La Liberté éclairant le monde* se dresse, colossale et majestueuse, à l'entrée de la baie de New York. La dame est revêtue d'une robe formée de 300 plaques de cuivre moulé de 2,5 mm d'épaisseur, et rivetées.

1 | La statue de la Liberté et Ellis Island**

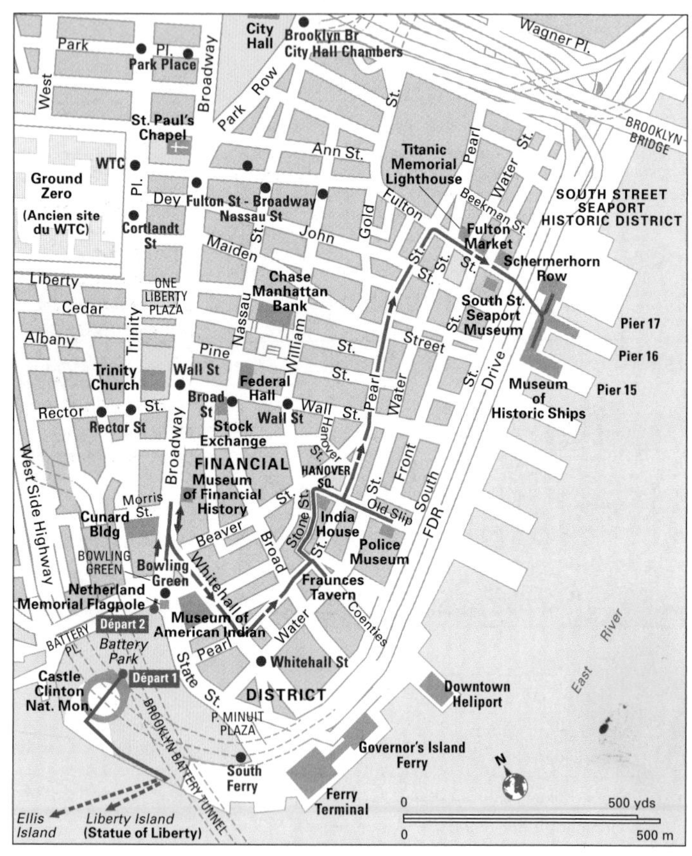

Départ 1 : La statue de la Liberté et Ellis Island

Départ 2 : De Bowling Green à South Street Seaport

Ouverts sur la baie de New York, à la pointe sud de Manhattan, Battery Park et ses alentours donnent un premier aperçu de la ville: ses formidables gratte-ciel, l'emblématique statue de la Liberté ou encore Ellis Island, où se sont succédé des millions d'immigrants. D'agréables promenades ont été aménagées au bord de l'Hudson.

Départ: Battery Park.

La statue de la Liberté***

Ferry de la Circle Line Tour. Trajet: Battery Park-Liberty Island-Ellis Island-Battery Park. Départs de Battery Park (M° South Ferry, lignes 1, 9; Whitehall St., lignes N, R; Bowling Green, lignes 4, 5; bus M1, M6, M15.); un ferry toutes les 30 à 45 mn, t.l.j. 9h15-15h30, sf 25 déc.; durée de la traversée: env. 15 mn; attention, longue file d'attente en haute saison. Billets en vente au Castle Clinton (10 $ pour les adultes, 8 $ pour les enfants jusqu'à 13 ans). ☎ 269.5755. Ouv. t.l.j. juil.-août 9h30-17h30, sept.-juin 9h30-17h, f. 25 déc. Entrée libre (donation acceptée). Comptez env. une demi-journée de visite, 2h si l'on ne débarque pas pour visiter le musée de la statue, 3 à 4h si on le visite (selon la saison). Vis. guidées seulement (réservation d'un «time pass»: ☎ 866.782.8834), www.statuereservations.com.

Deux visites sont possibles: **Promenade Tour**, qui comprend la visite du musée et du socle de la statue, et **Observatory Tour**, qui inclut également la montée à la plateforme d'observation et la découverte de l'intérieur de la statue à travers un plafond de verre. La couronne et la torche sont fermées au public.

Le **musée*** de la statue *(Statue Story Room)*, situé dans le socle, retrace les étapes de sa construction et celles de l'immigration à New York. Pour atteindre la couronne, il fallait gravir 354 marches... *«Ce n'est pas la torche qui incendie mais le flambeau qui éclaire»*, dira Bartholdi.

Si vous disposez de peu de temps, contentez-vous de voir la statue de la Liberté de l'extérieur: le **ferry de Staten Island** (île située au sud de Manhattan), au départ du jardin public de **Battery Park**, transporte gratuitement quelque 60 000 passagers chaque jour. Le trajet passe à proximité de la statue et offre un superbe panorama sur la pointe sud de Manhattan avec, entre autres, **Castle Clinton**, un ouvrage fortifié qui servit longtemps de centre d'immigration (1855-1890) avant l'ouverture d'Ellis Island en 1892.

carte d'identité
La statue de la Liberté

- **Hauteur totale**: 92,96 m.
- **Hauteur des pieds à la tête**: 33,86 m.
- **Poids total**: 204 t.
- **Largeur de la main**: 5 m.
- **Longueur d'un doigt**: 2,44 m.
- **Dimensions de la tête**: 5,26 m x 3,05 m x 3,05 m.
- **Longueur du nez**: 1,48 m.
- **Largeur de la bouche**: 0,91 m.

immigration
Le parcours de l'immigrant

Chaque jour, 5 000 personnes attendaient dans la salle d'enregistrement le moment de passer les contrôles d'immigration : les maladies étaient signalées par une lettre tracée à la craie sur l'épaule droite. Les immigrants ainsi désignés devaient passer des examens approfondis, tandis que d'autres étaient plongés dans un bain désinfectant. Après le contrôle médical, chacun devait répondre à 29 questions (« Souhaitez-vous renverser le gouvernement américain ? Avez-vous des maladies contagieuses ? », etc.). Toutefois, seuls 2 % des immigrants étaient définitivement refoulés. La dernière étape était le bureau de change ; l'or, l'argent et toutes les devises étaient changés en dollars. Puis, les immigrants débarquaient à Battery Park où un parent, un ami ou un employeur les attendait, parfois personne. Chacun espérait commencer une vie meilleure. ●

|| ♥ Ellis Island Immigration Museum*

Ouv. t.l.j. 9h30-17h, f. 25 déc. Entrée libre. Durée visite : env. 1h30. Audiotour en français. Cafétéria avec terrasse ☎ 363.3206, www.ellisisland.com.

Cet îlot, autrefois baptisé « l'île aux huîtres » par les Hollandais, porte le nom de **Samuel Ellis**, l'un de ses propriétaires. Ouvert en 1892, le centre d'accueil d'Ellis Island remplace celui de Battery Park devenu insuffisant. Après avoir été détruite par un incendie (1897), la station est rénovée et l'île agrandie. En 1907, elle accueille 5 000 nouveaux arrivants par jour. En 1925, on ne recense plus qu'une soixantaine d'arrivées quotidiennes, à cause de lois d'immigration plus restrictives. Elle servira à plusieurs reprises de **centre de détention** et fermera définitivement ses portes en 1954.

Le **musée de l'Immigration** est installé dans le bâtiment principal, où s'accomplissaient les formalités d'entrée des immigrants sur le territoire américain. Ne manquez pas la projection du film *Island of Tears, Island of Hope (30 mn ; projeté dans deux salles du musée)*, un documentaire émouvant où d'anciens immigrants et leurs descendants replongent dans leurs souvenirs pour raconter cette expérience unique, des préparatifs du départ jusqu'à l'après-Ellis Island.

● **Rez-de-chaussée**. La **salle des bagages** était la première étape. Des malles et valises d'époque sont entassées au centre de cette salle, comme oubliées là depuis un siècle. Toute une vie passée contenue dans une ou deux valises. Seuls ceux qui justifiaient d'un point de chute dans le Nouveau Monde pouvaient enregistrer leurs bagages. Et la plupart ne savaient pas où aller. Par peur de les perdre, beaucoup les conservaient avec eux pendant le processus d'immigration. Une base de données permet de retrouver la trace d'ancêtres passés par Ellis Island *(www.ellisisland.org)*.

● **1er étage**. C'est dans la **salle d'enregistrement** *(Registry Room)* que chacun attendait son tour pour l'inspection finale après avoir passé l'examen médical ; les nouveaux immigrants patientaient sur des bancs de bois pendant

© B. Perousse

▲ L'Amérique se penche sur ces millions de destins individuels qui ont façonné le pays.

de longues heures, parqués entre des rails métalliques. Chacun tendait l'oreille pour ne pas manquer d'entendre son nom. C'est dans les salles disposées en fer à cheval derrière la *Registry Room* que se déroulaient les **examens médicaux**; documents audio, photos anciennes, vêtements et objets personnels exposés dans ces salles racontent la longue et pénible quête d'un hypothétique bonheur (voir aussi le 2e étage).

En sortant du musée, arrêtez-vous devant le **mur d'honneur *(Wall of Honnor)***, devenu un lieu de pèlerinage pour les nombreux descendants d'immigrants. •

2 | De Bowling Green à South Street Seaport*

© B. Grilly

▲ Le bâtiment qui abrite le National Museum of the American Indian se dresse à l'endroit où l'île fut achetée aux Indiens par le gouverneur hollandais Peter Minuit, pour l'équivalent de 24 $.

Sillonner les rues du bas Manhattan, c'est marcher sur les traces des premiers habitants de l'île – Indiens, Hollandais puis Anglais – dont les traces de vie ont quasi intégralement disparu sous le bitume. Seule la toponymie nous en rappelle l'existence. Les rues ne sont pas ici numérotées, mais portent des noms datant de l'époque coloniale *(ci-contre)*. C'est aussi ici, à Bowling Green (le premier jardin public de la ville), que naît la célèbre Broadway.

National Museum of the American Indian

1 Bowling Green et Broadway, dans l'US Custom House. M° Bowling Green (lignes 4, 5, 6), Whitehall (lignes N, R), South Ferry (lignes 1, 9). Bus M1, M15 jusqu'à South Ferry. Ouv. t.l.j. 10 h-17 h, jeu. jusqu'à 20 h, f. 25 déc. Entrée libre ☎ 514.3700, www.nmai.si.edu.

Ce musée consacré à l'art et à la culture des **Amérindiens** a été aménagé au 1er étage de l'ancienne douane (**US Custom House**). Il dépend de la remarquable Smithsonian Institution basée à Washington D. C. et accueille d'intéressantes expositions temporaires.

• **Le bâtiment**. Conçu par Cass Gilbert – à l'origine également du Woolworth Building *(p. 68)* –, cet édifice de style Beaux-Arts date de 1907. Les **sculptures*** de la façade, réalisées par Daniel Chester French, symbolisent l'Asie, l'Amérique, l'Europe et l'Afrique. À l'intérieur, la **rotonde*** présente des fresques du peintre américain Reginald Marsh (1937), évoquant l'histoire du port de New York (l'arrivée du paquebot *Normandie* en 1935 ou la visite de Greta Garbo).

Reprenez Broadway vers le sud pour rejoindre Whitehall St., puis prenez Pearl St., à g., pour atteindre le Fraunces Tavern Museum.

Fraunces Tavern Museum*

54 Pearl St. et Broad St. M° South Ferry (lignes 1, 9), Whitehall St. (lignes N, R), Bowling Green (lignes 4, 5), Broad St. (lignes J, M, Z). Bus M1, M6, M15. Ouv. mar.-ven. 12 h-17 h, sam. 10 h-17 h, f. dim. et lun. Musée au 1er ét. Entrée payante ☎ 425.1778, www.fraunces tavernmuseum.org.

Construite en 1719, cette maison de brique de style georgien se trouvait alors en bordure de fleuve et appartenait à Étienne de Lancey, un huguenot français. **Samuel Fraunces**, un Français des Antilles, fit l'acquisition de cette maison en 1762 et la transforma en auberge. George Washington et ses amis indépendantistes s'y réunissaient fréquemment. Le 25 novembre 1783, le gouverneur Clinton y donna un dîner en présence de George Washington pour fêter le retrait des Anglais.

Départ : Netherland Memorial Flagpole. Plan circuit p. 52.

histoire
Toponymie des rues

Ici, les rues ne sont pas numérotées, mais portent des noms datant de l'époque coloniale : Beaver St. (la rue du Castor) évoque le commerce des fourrures à l'époque de la Nouvelle-Hollande, Bridge St. rappelle le pont hollandais qui enjambait, comme à Amsterdam, le canal de Broad St. aujourd'hui disparu. La rue de la Perle (Pearl St.), jadis située le long de la berge, était ainsi nommée à cause de la nacre des huîtres qui jonchaient le rivage. C'est sur cette rue que fut construit le premier hôtel de ville d'époque coloniale, près de la station de métro Whitehall St. (lignes N, R). •

bon à savoir

Si le New York d'autrefois vous intéresse, au NY Unearthed (17 State St.) sont visibles des vestiges souterrains datant de l'époque coloniale.

détour
Wall Street

À partir de Hanover Sq., il est possible de rejoindre Wall St. et le Financial District *(p. 61)* en prenant à g. William St., qui débouche sur Wall St.

Au 1er étage, un petit **musée*** conserve intacte la **salle de banquet** *(Long Room)* où Washington fit ses adieux à ses officiers, le 4 décembre 1783, avant son départ pour Mount Vernon. Quand ses affaires périclitèrent, le tavernier Fraunces devint son intendant. De 1785 à 1787, quand New York était capitale, Fraunces Tavern abrita le ministère des Affaires étrangères et de la Guerre.

Empruntez Coenties Slip, à g., puis remontez Stone St. pour rejoindre Hanover Sq., où a été bâtie **India House**, *l'une des premières maisons de ville (1853) construites en* brownstone (p. 25), *et siège de la Bourse du coton.*

Police Museum

100 Old Slip, entre Water St. et South St. M° Wall St. (lignes 2, 3). Ouv. mar.-sam. 10 h-17 h, dim. 11 h-17 h, f. lun. ☎ 480.3100, www.nycpolicemuseum.org.

Le quotidien du **NYPD** (New York Police Department) est ici recréé dans une mise en situation réaliste : documents audiovisuels, pièces à conviction, etc. On pourra également voir des documents d'époque relatifs à l'époque de la Prohibition, à la mafia et à la guerre des gangs. Les techniques utilisées au cours d'une enquête de police sont bien restituées : relevé d'empreintes, sécurisation d'une scène de crime *(crime scene)*, interrogatoire, etc.

Pour aller au musée de la Police, prenez Old Slip sur la dr. Sinon gagnez Water St. et continuez tout droit jusqu'à Fulton St. pour vous rendre à South Street Seaport.

South Street Seaport Historic District**

12 Fulton St., entre South et Water Sts. M° Fulton St. (lignes 1, 2, 4, 5, J, Z, M), Broadway-Nassau St. (lignes A, C). Bus M15. Ouv. mar.-dim. 10 h-18 h ☎ 748.8735, www.southstseaport.org.

C'est l'un des pôles d'attraction touristique du sud de Manhattan. Le **port de New York** fut le plus important des États-Unis pendant deux siècles. Les anciens entrepôts, réhabilités en 1980, s'étendent sur une dizaine de blocs, en bordure de l'East River.

© B. Rieger/Hémisphères Images

▲ Le Pier 17 du South Street Seaport, toujours très animé.

Visitez le **musée de la Marine** et descendez Fulton St., qui regorge de boutiques et de restaurants. À l'extrémité de la rue, on débouche sur le port. Les *piers* (môles) 15 et 16 abritent de magnifiques bateaux à voile qu'il est possible de visiter. Pour finir, montez au dernier étage du Pier 17 pour admirer la ♥ vue sur le Financial District.

• **South Street Seaport Museum** *(12 Fulton St., au niveau de Fulton St.; ouv. avr.-sept. t.l.j. 10h-18h; oct.-mars t.l.j. sf mar. 10h-17h; entrée payante; rens. au Visitors' Center également: 209 Water St., entre Fulton et Beekman Sts ☎ 732.7678, www.southstseaport.org)*. Cette exposition permanente restitue l'âge d'or du **port de New York** à partir des années 1820, à travers photos anciennes, maquettes de bateaux et instruments de navigation. Voir notamment la partie « Monarchs of the Sea », sur les paquebots transatlantiques.

• **Schermerhorn Row*** *(2 au 18 Fulton St., entre South et Front Sts)*. Cet ensemble de maisons de styles fédéral et *Greek Revival (p. 25)* date de 1811-1812. Il porte le nom de ses anciens propriétaires, des descendants de colons hollandais. L'ensemble, parfaitement rénové, est occupé par d'agréables boutiques et restaurants en terrasse *(chers et touristiques)*.

• **Fulton Market** *(Fulton et Front Sts)*. Un marché de produits frais provenant des prairies de Long Island se tenait autrefois dans le Fulton Market (1882), une construction de fer et de verre aujourd'hui transformée en galerie marchande.

• ♥ **Museum of Historic Ships**** *(piers 15 et 16; ouv. t.l.j. 10 h-18 h, nocturne le jeu.; entrée payante)*. Ces très beaux vaisseaux évoquent le temps de la marine à voile et l'activité intense qui régnait dans le port de New York au XIXe s. Le ***Wavertree*** (1885), un trois-mâts, a été construit en Angleterre pour le commerce du jute avec l'Inde. Le bateau-phare ***Ambrose*** (1908) signalait l'entrée du port de New York jusqu'en 1963. Le ***Peking*** (1911), un quatre-mâts à coque d'acier, fit son dernier voyage en 1932, après avoir transporté du nitrate en provenance du Chili.

• **Pier 17***. Si vous avez des enfants, rendez-vous directement à ce môle *(pier)* transformé en centre commercial, où règne une atmosphère de kermesse. Les restaurants et les bars en terrasse sont envahis par les touristes, mais le dernier étage n'en offre pas moins un beau ♥ **point de vue*** (surtout le soir) sur le Brooklyn Bridge, Brooklyn Heights et les tours de verre du Financial District. •

3 | Wall Street et le Financial District★★

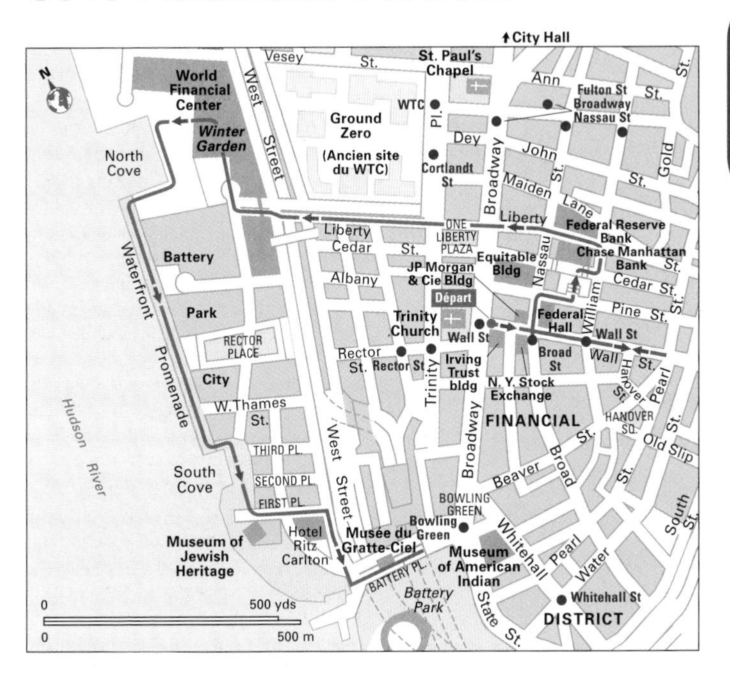

L'étroite Wall Street plonge tout droit au cœur du quartier de la finance, auquel elle a donné son nom. C'est sur son tracé que fut élevée en 1653 la palissade qui marquait alors la limite nord de la ville. Les bâtiments les plus anciens sont aujourd'hui cernés par les tours. Les rayons du soleil pénètrent rarement dans ces canyons de verre et d'acier formés par les gratte-ciel. Difficile d'imaginer qu'au détour de cette petite rue se cache la première place financière de la planète...

Départ : Trinity Church.

▲ Depuis le 11 septembre 2001, de nombreux établissements financiers ont été délocalisés dans le New Jersey.

Trinity Church*

Broadway et Wall St. M° Wall St. (lignes 2, 3, 4, 5), Rector St. (lignes N, R). Bus M1, M6, M15. Concerts gratuits tous les lun. et jeu. à 12 h.

Cette église épiscopalienne de 1846 fut construite en ***brownstone*** *(p. 25)* dans le style néogothique. Sa **flèche**, haute de 85 m, dominait New York avant que n'apparaissent les premiers gratte-ciel. Au fond à gauche dans les vitrines: petite exposition de photos anciennes.

Dans le **cimetière** attenant, on s'installe comme dans un jardin public. Là reposent bon nombre de **colons hollandais** (la plus ancienne pierre tombale date de 1681) et des célébrités locales: Alexander Hamilton, ministre des Finances de George Washington, Robert Fulton, l'inventeur du bateau à vapeur, ou encore Caroline Schermerhorn Astor, qui organisait les banquets les plus fastueux de la ville, à la fin du XIXe s.

Wall Street et alentours**

M° Wall St. (lignes 2, 3, 4, 5), Rector St. (lignes 1, 9, N, R), Broad St. (lignes J, M, Z). Bus M1, M6, M15.

Symbole mondial de la **haute finance**, Wall St., étonnamment étroite, semble frayer son chemin parmi les gratte-ciel. C'est pourtant l'une des rues les plus anciennes de la ville. Elle suit le tracé d'une **palissade de bois fortifiée**, érigée en 1653 à la limite nord de la petite cité hollandaise, puis détruite en 1695. Wall St. et les rues voisines forment le cœur du quartier de la finance dont l'activité remonte à l'époque hollandaise. Les premiers immeubles d'affaires datent de la fin du XIXe s. L'espace était si restreint et déjà si cher qu'il fallut bien se résoudre à construire haut plutôt que large. L'invention de la structure métallique et celle de l'ascenseur a permis de multiplier les étages.

N'hésitez pas à pousser la porte des immeubles d'affaires construits dans les années 1930 pour admirer les halls d'entrée, souvent très richement décorés. La visite se fait à pied, car les rues sont minuscules et les sites très proches les uns des autres.

• **Irving Trust Building** *(1 Wall St. et Broadway)*. Cet immeuble de 49 étages abrite la **Bank of New York** (1928-1931 ; Ralph Walker). Les cannelures Art déco de la façade évoquent la trame d'un tissu et en accentuent la verticalité. Le **hall d'entrée*** est orné d'une étonnante mosaïque orange, rouge et or réalisée par H. Meiere. C'est un des meilleurs exemples de l'application de la Zoning Law *(p. 21)* à New York.

• **New York Stock Exchange*** *(8-18 Broad St., au niveau de Wall St. ;* M° *Broad St. [lignes J, M, Z], Wall St. [lignes 2, 3, 4, 5], Rector St. [lignes 1, 9, N, R] ; bus M1, M6, M15 ; ne se visite pas ; www.nyse.com)*. La **Bourse de New York** et sa célèbre façade de style néoclassique datent de 1903 (George B. Post & Towbridge & Livingston). Environ 5 000 personnes travaillent quotidiennement au NYSE. Au lendemain des attentats du 11 septembre, la cloche qui retentit à l'ouverture des séances boursières s'est interrompue pendant six jours sans cotation (du jamais vu depuis la Première Guerre mondiale). Il existe 4 salles de marchés. Le 24 juin 2005, 3,116 milliards d'actions s'y sont échangées. Un record absolu.

Revenez ensuite sur Wall St.

• **Federal Hall** *(26-28 Wall St. et Nassau St., entrée à l'arrière sur Pine St. ☎ 825.6888)*. L'imposante **façade** classique du Federal Hall National Memorial semble écrasée par les silhouettes altières des tours voisines. Le bâtiment actuel (1833-1842), construit pour abriter la douane, s'élève à l'emplacement de la deuxième mairie de New York, fondée en 1701. Le Federal Hall abrita le Capitole, quand la ville était capitale des États-Unis d'Amérique (1789-1790). Pendant le krach de 1929 *(p. 46)* comme pendant celui d'octobre 1987, une foule compacte d'investisseurs se rassemblait chaque jour, au pied de la statue de George Washington, pour attendre des nouvelles de la Bourse.

• **Seaman's Bank for Savings** *(74 Wall St., au niveau de Pearl St.)*. C'est dans cette banque que les marins venaient déposer leur pécule, souvent conséquent, accumulé pendant des mois en mer (1926 ; Morris).

finances

La Banque fédérale de New York

Aux États-Unis, les 12 banques fédérales de réserve ont pour fonction essentielle d'émettre la monnaie fiduciaire et d'accorder des prêts aux autres banques. Elles sont contrôlées par le Conseil des gouverneurs du Federal Reserve System (le « Fed »), un organisme indépendant et puissant qui réglemente l'ensemble du système monétaire américain. La banque fédérale de réserve de New York est, de toutes, la plus importante. Chaque dollar émis à New York est marqué d'un B inscrit dans le sceau fédéral (A pour Boston, C pour Philadelphie, L pour San Francisco, etc.). La Réserve fédérale est composée d'un conseil central des gouverneurs dont le siège est à Washington D.C. et de douze banques régionales.

Reprenez Wall St. en direction de Trinity Church et tournez à dr. dans Nassau St. La plupart des noms de rue ont été modifiés dans ce quartier au cours de la purge postrévolutionnaire de 1794. Ainsi, King St. est devenue Pine St., Crowne St. a été rebaptisée Liberty St., et Queen St., Cedar St.

• **Equitable Building** *(entre Nassau, Broadway, Cedar et Pine Sts; entrée principale au 20 Broadway)*. Ce mastodonte datant de 1913-1915 occupe un bloc entier; son hall d'entrée donne sur quatre rues différentes, et ses deux tours de 40 étages, percées de pas moins de 5 000 fenêtres, furent accusées de priver de lumière les rues voisines. Cet édifice fut à l'origine de la **Zoning Law** de 1916 *(p. 21)*. Après lui, on ne construira plus comme avant à New York.

Prenez à dr. Pine St. et gagnez le parvis de la Chase Manhattan Bank à g.

• **Chase Manhattan Bank** *(1 Pine St., entre William et Nassau Sts)*. La Chase Manhattan Bank fut créée il y a un siècle par les Rockefeller. Il fallut cinq ans pour édifier cette structure d'aluminium et de verre de 60 étages, haute de 243 m (1960; Skidmore, Owings, Merrill). Sa fusion fit avec la Chemical Banking Corp. de ce géant, baptisé « Chase Manhattan », l'une des premières banques de la planète. Le cinquième sous-sol de la banque abrite le plus grand coffre-fort du monde, vaste comme un terrain de football et fermé par six énormes portes de 45 t chacune.

La **Chase Manhattan Plaza** accueille une sculpture monumentale de Jean Dubuffet ***Quatre Arbres**** (1972), constituée de 12 pièces en fibre de verre et d'acier, fabriquées à Paris; d'une hauteur équivalente à 4 étages, elle pèse 25 t. C'est l'une des rares œuvres d'art du quartier à avoir résisté à la destruction du World Trade Center.

Descendez les escaliers qui débouchent sur William St. et prenez Liberty St., à g.

• **Federal Reserve Bank** *(33 Liberty St. et Maiden Lane; ouv. lun.-ven. 9h30-14h30; vis. guidées de 60 mn sur rés. 5 jours min. à l'avance. Entrée libre ☎ 720.6130, www.ny.frb.org. Pièce d'identité obligatoire pour visiter)*. Véritable

▲ Les marchands du temple ont investi Ground Zero au lendemain de la catastrophe.

forteresse, la Banque fédérale (1919-1924) occupe un bloc entier entre Maiden Lane et Liberty St. Elle ressemble à un palais florentin avec ses bossages et ses lanternes ouvragées. La visite guidée permet d'accéder au cinquième sous-sol, où se trouve la **chambre forte*** (Gold Vault). Celle-ci contient des réserves d'or (26 milliards de dollars, 9 000 t en dépôt en 2006) appartenant à différents pays et utilisées lors des opérations de change, ce qui représente le plus gros stock d'or du monde *(voir p. 63)*. La Banque fédérale emploie plus de 3 000 personnes.

En continuant sur Liberty St. vers l'ouest, on gagne One Liberty Plaza, un immeuble d'affaires qui a miraculeusement échappé à la destruction du World Trade Center. D'ici, on parvient rapidement à Ground Zero.

Ground Zero

Avant sa destruction, le World Trade Center occupait un vaste quadrilatère à la pointe sud-ouest de Manhattan, à l'endroit que l'on nomme aujourd'hui Ground Zero, délimité par les rues Vesey (au nord), Church (à l'est), Liberty (au sud) et West (à l'ouest). L'expression « Ground Zero » a fait son apparition au lendemain de l'attentat. Elle désigne le point d'impact d'une explosion nucléaire. Le WTC 7 a été reconstruit en 2005.

Traversez West Street pour rejoindre le Word Financial Center.

World Financial Center*

West St., entre Vesey et Liberty Sts, dans Battery Park City. M° Cortlandt St. (lignes 1, 9, N, R), Rector St. (ligne 1). Bus M9, M10, M22, X90. www.worldfinancialcenter.com.

Devenu en quelques années l'épicentre de l'activité financière à New York, le World Financial Center, situé juste derrière le World Trade Center, a été en grande partie préservé. Après l'exode des sociétés financières de Wall St. au lendemain du 11 septembre 2001, le World Financial Center a assuré la continuité de l'activité financière dans Manhattan.

• **Autour du Winter Garden***. C'est le point de rencontre de cet ensemble à la fois fonctionnel et esthétiquement satisfaisant. Sous une immense verrière haute de 36 m et agrémentée de palmiers importés du désert Mojave (Utah), la **galerie commerciale** s'ouvre sur les bords de l'Hudson. En suivant à pied la **Waterfront Promenade*** *(à g.)*, on longe Battery Park City (37 ha), gagnée sur le fleuve.

Terminez la promenade par le **musée du Gratte-ciel*** *(Skyscraper Museum, 39 Battery Place.* M° *Whitehall St. [lignes W et R], et Bowling Green [lignes 4 et 5] ; ouv. mer.-dim. 12 h-18 h ☎ 968.1961 ; www.skyscraper.org ; env. 30 mn de visite).* •

4 City Hall et Brooklyn Bridge★

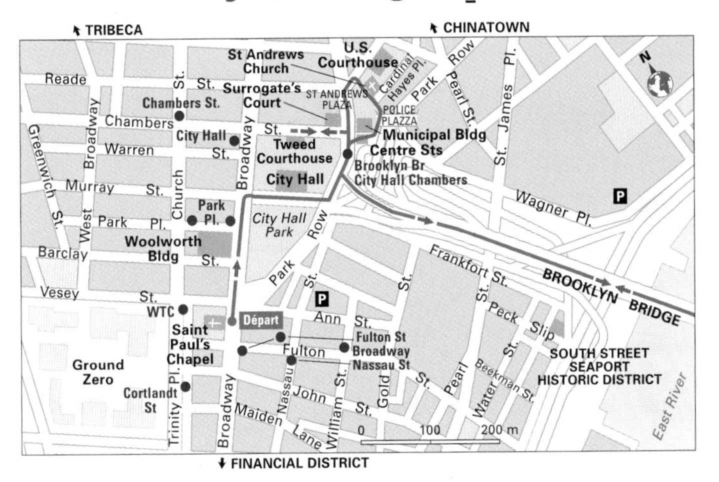

Départ : St Paul's Chapel.

Le Civic Center est le siège des instances municipales de New York. Le secteur est essentiellement fréquenté par les politiciens, les hommes de loi et les employés de l'administration. Les New-Yorkais ne s'y rendent que rarement, pour régler des problèmes administratifs ou judiciaires. Les bâtiments qui encadrent l'hôtel de ville *(City Hall)* sont construits dans ce style néoclassique, pompeux et conquérant qu'affectionne l'Amérique. Le roi du quartier, c'est le Brooklyn Bridge, qui relie Manhattan à Brooklyn et dont les câbles tissent une toile arachnéenne au-dessus de l'East River. La St Paul's Chapel, située à l'orée du World Trade Center, miraculeusement épargnée, est devenue un mémorial au lendemain de la tragédie.

♥ St Paul's Chapel*

74 Trinity Place, entre Fulton et Vesey Sts. M° Fulton St. (lignes 4, 5, A, C).

Cette petite église épiscopalienne est l'une des plus anciennes du quartier de Manhattan et date de l'époque prérévolutionnaire (1764-1766). Elle s'élevait alors au milieu d'un champ. À l'intérieur, vidéos, photos, objets et dessins retracent la tragédie de l'attentat terroriste du 11 septembre 2001. Dans le bas-côté gauche, le **prie-Dieu*** sur lequel G. Washington vint se recueillir en 1789, après son investiture, a été conservé. Le petit ' **cimetière** *(côté Church St.)* abrite des tombes très anciennes (XVIIe s.), comme celle du sieur de Rochefontaine, un Français qui participa à la campagne d'Amérique avec le comte de Rochambeau.

Woolworth Building**

233 Broadway et Barclay St. M° Park Pl. (lignes 2, 3), Fulton St. (lignes 4, 5, A, C), City Hall (lignes N, R). Bus M22, M25. Ne se visite pas.

Le Woolworth Building (1910-1913; Cass Gilbert) fut en son temps le plus haut gratte-ciel du monde (241 m et 60 étages) avant d'être détrôné par le Chrysler Building, 77 étages et 343 m *(p. 103)* en 1930, puis par l'Empire State Building *(p. 98)* quelques mois plus tard. On le comparait alors à une « cathédrale du commerce », à cause de son style **néogothique** inspiré du Parlement de Londres. Le bâtiment était le siège de l'empire bâti par Frank Woolworth, propriétaire d'une chaîne de magasins bon marché.

Il faudrait pouvoir se hisser à son sommet pour apprécier les **sculptures*** extérieures très travaillées : pinacles et tourelles, gargouilles à tête de chauve-souris, etc. À l'intérieur, les voûtes du hall sont ornées de superbes **mosaïques*** bleu, vert et or. Des bas-reliefs caricaturaux attestent du sens de l'humour de Cass Gilbert : l'architecte porte dans ses bras la maquette du gratte-ciel et Frank Woolworth compte ses sous un à un. De fait, Woolworth finança la construction avec ses fonds propres.

City Hall*

Chambers St., dans City Hall Park. M° City Hall (lignes N, R), Brooklyn Bridge (lignes 4, 5, 6). Bus M1, M6, M9, M10, M15. Ouv. lun.-ven. 10 h-16 h ☎ 788.6865. Entrée libre.

L'hôtel de ville est une petite construction dont la taille convenait à l'époque postrévolutionnaire. Personne n'imaginait alors que la ville s'étendrait plus au nord. À l'intérieur, l'escalier à double volée mène à la salle du Conseil et à la **Governor's Room***, un appartement autrefois mis à la disposition du gouverneur lorsqu'il était en visite.

Derrière le City Hall se trouve l'ancien palais de justice, le **Tweed Courthouse** *(52 Chambers St. M° City Hall; lignes N, R; f. pour travaux)*, dont la construction (1858-1878) fut à l'origine d'un scandale retentissant: les fonds destinés à son édification furent détournés par celui qui devint le dirigeant du Parti démocrate dans les années 1870. Le bâtiment, de style victorien, coûta 50 fois plus cher que prévu. On pourra également s'arrêter devant:

- **Surrogate's Court** *(Hall of Records, 31 Chambers St., derrière la Tweed Courthouse. M° Chambers St.; lignes 1, 2, 3; visites guidées en sem.)*, bel édifice de style Beaux-Arts (1899-1907) probablement inspiré du palais Garnier à Paris, abrite les **Archives municipales.**
- **Municipal Building** *(angle Chambers et Centre Sts. M° Chambers St.; lignes 1, 2, 3)*, siège de l'administration municipale de New York.
- **Police Plaza** *(derrière le Municipal Building)* où se situe le siège du NYPD (New York Police Department).
- **US Courthouse** *(Centre St., au niveau de Pearl St. M° Chambers St.; lignes 1, 2, 3; ouv. lun.-ven. 9h-17h)*, siège de la Cour fédérale de justice.
- **St Andrew's Church** *(20 Cardinal Hayes Pl., au niveau de St Andrews Plaza, derrière le Municipal Building; M° Chambers St.; lignes 1, 2, 3)*, qui appartient à la congrégation du Saint-Sacrement, fut édifiée ici pour la communauté irlandaise.

Littérature
Étrange créature ailée

Comme la tour Eiffel, le pont de Brooklyn a inspiré peintres (Georgia O'Keeffe, Frank Stella...) et écrivains. *«Il me suffisait d'aller et venir sur ce pont de Brooklyn pour que tout redevînt clair comme du cristal. [...] j'entendais battre alors l'horloge du passé... Ce pont, c'était la harpe de la mort, l'étrange créature ailée et aveugle par quoi je demeurais en suspens, ainsi, entre deux rives...»* (Henry Miller, *Dimanche après la guerre*, 1944). ●

♥ Brooklyn Bridge**

M° Brooklyn Bridge (lignes 4, 5, 6), City Hall (lignes N, R), Broadway (lignes 2, R), Park Pl. (lignes 2, 3). Bus M1, M6, M9, M15, M22, M101, M102. Accès en voiture, en métro et à pied.

L'ingénieur allemand **J. A. Roebling** (1806-1869), qui conçut le pont, est l'un des pionniers de l'**architecture métallique**. La construction du pont (1867-1883) fut une affaire de famille qui tourna au cauchemar. Avant même le début des travaux, Roebling eut le pied écrasé par le *Fulton Ferry*, bateau qui reliait Manhattan à Brooklyn. Trois semaines plus tard, il était emporté par le tétanos. Son fils Washington poursuivit sa tâche mais resta paralysé à la suite d'un accident de décompression survenu dans un caisson des fondations. Son épouse Emily reprit courageusement la direction des travaux et le pont fut achevé en 1883, mais une vingtaine d'ouvriers trouvèrent la mort au cours de la construction.

Cet ouvrage d'art fut en son temps le plus long pont suspendu du monde avec 1 091 m de longueur, 26 m de largeur et 486 m de portée. Les câbles d'acier de 40 cm de diamètre qui le soutiennent sont arrimés à deux arches néogothiques hautes de 84 m, qui reposent sur d'énormes caissons pneumatiques immergés, dans lesquels les ouvriers travaillaient jour et nuit. Avec la flèche de Trinity Church, les tours du pont de Brooklyn dominaient la ville en 1883. Aucun gratte-ciel n'avait encore été construit. ●

▼ Vue aérienne de Brooklyn et du pont de Brooklyn (au second plan) sur l'East River, qui relie Manhattan à Brooklyn.

Downtown Nord

© B. Rieger/Hémisphères Images

Chinatown, Little Italy et le Lower East Side, modelés par les vagues d'immigration successives commencées dans les années 1860, donnent au New York d'aujourd'hui son caractère profondément composite et aussi son visage le plus humain. Dans ces quartiers d'atmosphère, il fait bon flâner sans hâte et presque sans autre projet que de regarder les gens vivre. Plus haut vers le nord, SoHo, Greenwich Village et East Village sont les lieux de prédilection de la bohème new-yorkaise. Atmosphère chaleureuse et sans apprêts.

▲ Arrivés à New York à la fin du XIXe s., les Chinois ont importé leurs repères culturels. Immeubles et édifices publics se donnent ici des airs de pagodes.

5 | Manhattan « ethnique »*

▲ Les juifs se sont implantés dans le Lower East Side à la fin du XIXe s.

C'est au XVIIe s. que les premiers arrivants se sont installés sur ces terres marécageuses. Dès les années 1830, le Lower East Side constituait le point de chute des juifs d'Europe centrale. Chinatown s'est peuplée à la fin du XIXe s. Quant à Little Italy, elle n'a plus d'italien que ses trattorias, alignées sur Mulberry St., mais les immigrants tiennent à ce territoire conquis par leurs ancêtres.

Chinatown**

Entre Canal St. (N), Lafayette St. (O), Bowery (E) et Chatham Sq. (S). M° Canal St./Centre St. (lignes J, M, Z). Bus M1.

Départ : Canal St. (et Mott St.).
Plan circuit p. 75.

Une seule rue de Chinatown porte un nom chinois. Toutes les autres (Mott, Bayard, Baxter, etc.) évoquent des immigrants d'origine européenne installés ici dès le XVIIe s. Les premiers immigrants chinois étaient des marins et des marchands arrivés au début du XIXe s., et c'est sans doute la relative proximité du port qui a continué à les attirer dans ce quartier du bas Manhattan. Après la ruée vers l'or de Californie (1848-1850) et la construction de la ligne de chemin de fer transcontinentale (1863-1869), où ils étaient employés comme *coolies*, les Chinois arrivèrent en masse dans les villes. À New York, le nombre d'arrivants explose à partir de 1869. L'immigration chinoise fut officiellement interdite entre 1882 et 1943, mais elle reprit de plus belle après la guerre. Chinatown est aujourd'hui la plus grande ville chinoise hors d'Asie, avec quelque 150 000 habitants. Le quartier connaît une intense activité économique et ne cesse de s'étendre, au grand dam de sa voisine Little Italy, sur laquelle il empiète *(p. 76)*. Chinatown a subi de plein fouet le ralentissement économique qui a touché le bas Manhattan après les événements tragiques du 11 septembre 2001. Ses rues ont été fermées à la circulation pendant un mois après l'attentat, et l'industrie de la confection a peiné à se redresser.

• **Canal Street** (M° *Canal St./Centre St. [lignes J, M, Z] ; bus M1)* suit le tracé d'une ancienne voie d'eau. Un canal y fut aménagé puis comblé pour des raisons sanitaires au début du XIXe s. C'est une artère bruyante et congestionnée qui surprend par ses enseignes clinquantes et ses bazars bourrés de contrefaçons. Sur les trottoirs, on déballe sacs, montres et parfums, que l'on marchande comme dans les souks.

Remontez Canal St. vers l'est et tournez à dr. dans Mott St. (l'une des plus anciennes rues de Chinatown, avec Pell et Bayard Sts).

bon à savoir

N'allez pas trop chercher les charmes de la Chine d'antan à Chinatown. Même s'il existe toujours des échoppes de plantes médicinales, des maisons de thé et de petits temples, parfois discrètement situés en étage, il faut les débusquer derrière les idéogrammes et les bazars. À quelques exceptions près, les restaurants sont bruyants, éclairés au néon et décorés pur Formica, mais la cuisine y est authentique et peu onéreuse. Pour choisir un bon restaurant à Chinatown, voir p. 152.

5 itinéraire

pratique

Chinatown Visitor Information Kiosk: Canal St. (au niveau de Walker et Baxter Sts). Ouv. t.l.j. 10h-18h.

• **Mott Street**** *(au niveau de Canal St., entre Mulberry et Elizabeth Sts).* Cette rue concentre un grand nombre de restaurants et d'échoppes, d'où s'échappent d'enivrants parfums d'épices et que signalent de mystérieux idéogrammes. L'**Eastern Buddhist Temple** *(au n° 64b, entre Canal et Bayard Sts; ouv. t.l.j. ☎ 966.6229)* est un petit temple urbain rouge et or, fréquenté à toute heure du jour par les riverains; il abrite une centaine de bouddhas dorés. Au n° 5, l'église catholique de la **Transfiguration** *(Transfiguration Church)*, construite au début du XIXe s. pour les Irlandais, est aujourd'hui essentiellement fréquentée par les Chinois… Ici, on célèbre la messe en anglais, mais aussi en mandarin et en cantonais.

Juste avant l'église, prenez Pell St. à g., qui débouche dans Doyers St.

• **Doyers Street** *(entre Bowery et Pell Sts, au-dessus de Chatham Sq.).* Surnommée « **Bloody Angle** » (le coude sanglant), Doyers St. fut le théâtre de fréquentes fusillades lors de la guerre des *tong*, des sociétés secrètes rivales aux méthodes de gangsters qui se disputaient le contrôle du quartier, dans les années 1920.

Tournez à dr. dans Bowery pour rejoindre Chatham Sq. À partir de Chatham Sq., empruntez Mott St. puis à g., descendez dans Mosco St. et à dr. dans Mulberry St. en longeant Columbus Park.

• **Columbus Park** *(Worth St. au S, Baxter St. à l'O, Bayard St. au N et Mulberry St. à l'E).* C'est quasiment le seul espace vert de Chinatown. À la fin du XIXe s. s'étendait ici **Five Points**, le taudis le plus sordide de la ville, voire de l'Amérique. Des familles, principalement italiennes et irlandaises, s'entassaient dans des masures de bois, dans un dénuement total que décrivit Charles Dickens dans *Five Points*. Ce taudis a été démoli et remplacé par un jardin public en 1895. Les Chinois y pratiquent leur tai-chi matinal et s'affrontent au mah-jong.

En continuant sur Mulberry St. vers le nord, au-delà de Canal St., les idéogrammes font place aux façades en rouge et vert, couleurs de l'Italie.

Ci-contre :
Manhattan « ethnique ».

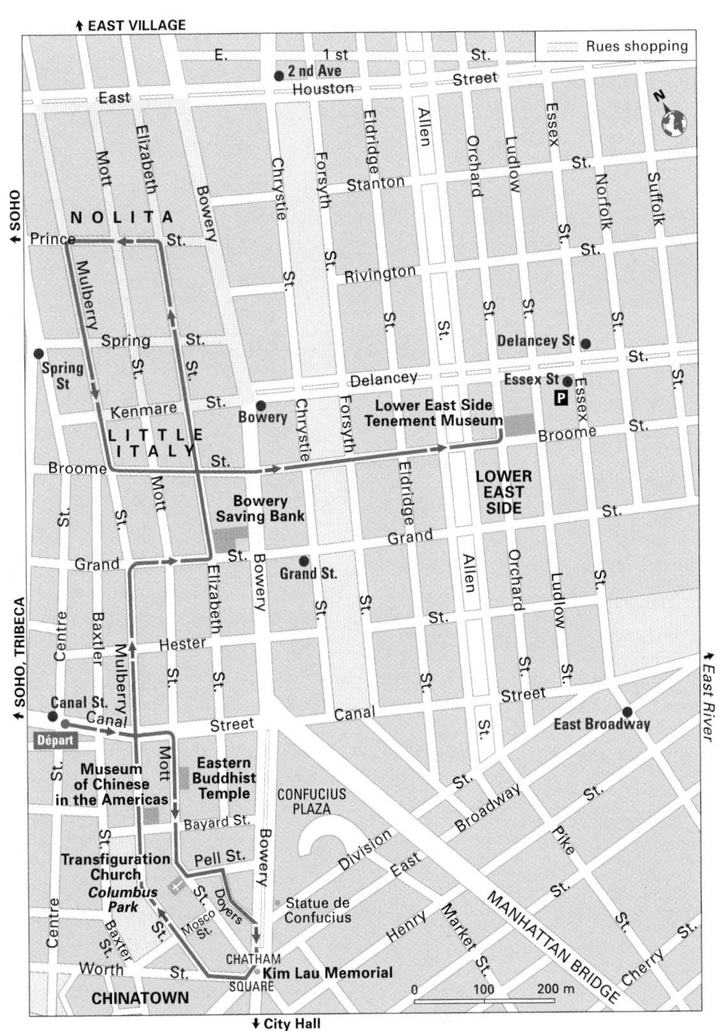
EAST VILLAGE
SOHO
SOHO, TRIBECA
East River
City Hall
Rues shopping
NOLITA
LITTLE ITALY
LOWER EAST SIDE
CHINATOWN
2 nd Ave
Spring St
Bowery
Grand St.
Canal St.
Delancey St
Essex St
East Broadway
Départ
Lower East Side Tenement Museum
Bowery Saving Bank
Museum of Chinese in the Americas
Eastern Buddhist Temple
Transfiguration Church
Columbus Park
CONFUCIUS PLAZA
Statue de Confucius
CHATHAM SQUARE
Kim Lau Memorial
MANHATTAN BRIDGE
E. 1 st St.
East Houston Street
Prince St.
Spring St.
Kenmare St.
Broome St.
Grand St.
Hester St.
Canal Street
Bayard St.
Pell St.
Worth St.
Delancey St.
Stanton St.
Rivington St.
Mott
Elizabeth
Bowery
Mulberry
Chrystie St.
Forsyth St.
Eldridge St.
Allen St.
Orchard St.
Ludlow St.
Essex St.
Norfolk St.
Suffolk St.
Centre St.
Baxter St.
Mosco St.
Doyers St.
Division St.
East Broadway
Henry St.
Market St.
Pike St.
Cherry St.
0 100 200 m

urbanisme
Les *tenements* du Lower East Side

Les premiers immeubles locatifs, *tenements*, furent construits dans le Lower East Side à partir des années 1860. L'espace était rentabilisé au maximum : les pièces étaient agencées comme les wagons d'un train – seules celles situées aux extrémités recevaient l'air et la lumière, les autres n'étant que des boyaux sombres et malodorants. Il y eut une nouvelle vague de construction dans les années 1880-1890, à l'arrivée des Italiens et surtout des juifs d'Europe centrale. Des générations d'ouvriers, de commerçants, d'intellectuels et d'artistes, dont certains ont connu la gloire, sont sorties de ce ghetto. Aujourd'hui, les communautés noire, portoricaine et asiatique remplacent progressivement la communauté juive. Les conditions de salubrité ont peu évolué pour ces nouveaux immigrants. Ces quartiers attirent aussi une population d'artistes qui fuient les loyers prohibitifs de SoHo. Cette nouvelle bohème a ouvert des petits restaurants, des bars, des théâtres underground et des centres de lecture de poésie.

Little Italy et NoLIta*

Entre Canal St. (S), Lafayette St. (O), Houston St. (N) et Bowery (E). M° Canal St./Centre St. (ligne J, M, Z), Bowery (lignes J, M). Bus M1, M102. Pour NoLIta : Spring St. (ligne 6), Prince St. (lignes N, R).

Ce quartier populaire s'est peuplé d'immigrants italiens à partir des années 1880. Aujourd'hui, le parfum de la lointaine Italie s'est évaporé, même si les **trattorias** entretiennent l'illusion sur Mulberry St.

Little Italy a fait parler d'elle dans les années 1970 à cause de règlements de comptes entre clans mafieux survenus dans des restaurants du quartier: en 1972, **Joey Gallo**, un gros bonnet de la mafia, fut assassiné dans le restaurant Umberto's Clam House (à l'angle de Mulberry et Grand Sts). Nombre de familles ont quitté le quartier depuis longtemps et ne reviennent qu'à l'occasion d'une fête familiale ou religieuse.

La **communauté chinoise** a pris pied dans la partie sud du quartier italien. Au nord, c'est le très branché quartier de NoLIta (North of Little Italy) qui attire maintenant les visiteurs.

Prenez Mulberry St. vers le nord, puis Grand St. à dr. En remontant quelques blocs à g. sur Elizabeth St., on gagne le nord de Little Italy.

● **NoLIta* (North of Little Italy)** (M° *Spring St. [ligne 6], Prince St. [lignes N, R]*). Si vous aimez les **boutiques** de vêtements et de déco créatives, explorez NoLIta, un quartier résidentiel dans les années 1830-1840. Des boutiques de mode et de déco originales, aux prix souvent élevés rarement affichés à l'entrée, s'y sont récemment installées. Explorez Mulberry St., Elizabeth St. et Mott St. entre Lafayette St. (à l'ouest), Bowery (à l'est), E Houston St. (au nord) et Kenmare St. (au sud).

Pour rejoindre le Lower East Side, traversez Bowery (vers l'est, au niveau de Broome St.), une artère bien dessinée et généralement encombrée; à l'époque coloniale, les fermes hollandaises (bowerij) *s'alignaient ici, le long d'une ancienne piste indienne. Continuez vers l'est sur Broome St. jusqu'à Orchard St.*

Lower East Side*

Entre E Houston St. (N), Bowery (O) et East River (E et S). M° Delancey St. (ligne F), Essex St. (lignes J, M, Z). Bus M9, M15.

Le Lower East Side, proche de l'East River, s'étend à l'emplacement d'un ancien verger *(orchard)* qui appartenait au domaine colonial de James De Lancey (1703-1760), président de la Cour de justice à l'époque coloniale. À la révolution, De Lancey s'en retourna en Angleterre et ses terres furent saisies. John Jacob Astor, le plus grand propriétaire de la ville, les racheta en 1814 et y fit construire les premiers immeubles de rapport, les *tenements (ci-contre)*. La vague d'immigration s'accéléra dans les années 1860, avec l'arrivée massive d'Irlandais, d'Italiens et d'Allemands – si nombreux que l'on surnomma bientôt ce quartier « la petite Allemagne ». Les conditions de vie et l'hygiène dans ces logements exigus étaient déplorables. Entre 1881 et 1910, la densité de population augmenta encore considérablement dans le Lower East Side avec l'arrivée massive d'1,5 million de **juifs** originaires d'Europe centrale. Les juifs ont implanté ici le **commerce du vêtement**. Le métier de tailleur était plus répandu parmi les hommes. Les taudis servaient d'ateliers de confection *(sweatshops)*, où s'échinaient des familles entières ; la production était vendue dans la rue.

♥ Lower East Side Tenement Museum*

108 Orchard St. et Broome St. M° Delancey St. (ligne F), Essex St. (lignes J, M, Z). Bus M15 (Delancey et Allen Sts). Visites guidées seulement en anglais ttes les 40 mn mar.-ven. 13 h-16 h 30, jeu. jusqu'à 19 h, sam.-dim. 11 h-16 h 30. Possibilité de rés. par tél. ☎ 387.0346. Projection audiovisuelle de 15 mn ☎ 431.0233, www.tenement.org.

Visite guidée d'un ***tenement*** de la première génération, construit en 1864 et habité jusqu'en 1935. Quelque 10 000 immigrants de toutes origines s'y sont succédé, vivant parfois à plus de dix dans des pièces minuscules. Objets, photos et documents sonores restituent la **vie quotidienne** de certaines de ces familles. À la fin du XIXe s., 75 % des New-Yorkais habitaient dans de tels logements *(ci-contre)*.

détour

Ethnique

Pour poursuivre cette traversée des quartiers « ethniques », rendez-vous à Little Ukrainia et Little India, dans East Village *(p. 87)*.

6 | SoHo et TriBeCa★★

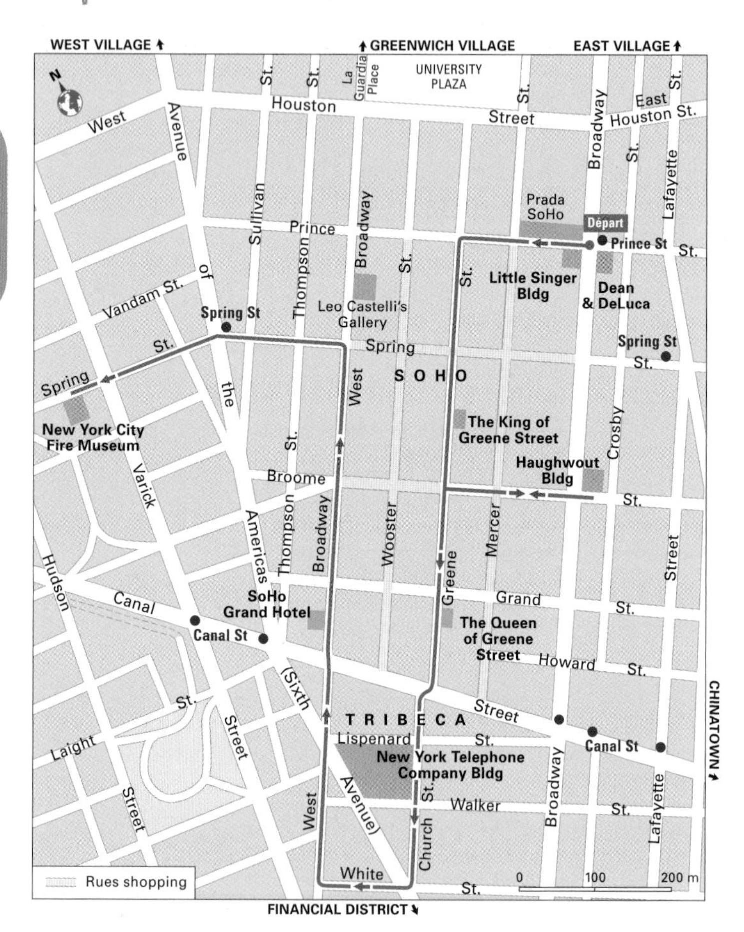

Ces anciens quartiers industriels ont été sauvés de la démolition grâce à l'esthétique tout à fait unique de leurs immeubles commerciaux au décor de fonte *(cast-iron buildings)*, construits à partir des années 1870.
Un siècle plus tard, les artistes ont pris possession de ces vastes espaces décloisonnés et SoHo s'est imposée comme la plaque internationale de l'art contemporain. C'est aujourd'hui la vitrine avant-gardiste de l'art vestimentaire et du design contemporain.

bon à savoir

Le soir venu, les restaurants de SoHo affichent complet, d'où la nécessité de réserver.

SoHo**

Entre Canal St. (S), 6th Ave. (O), W Houston St. (N) et Broadway (E). M° Prince St. (lignes 1, 9), Spring St. (lignes N, R, C, E). Bus M1, M5, M6, M21. Conseil : à explorer le w.-e. pour l'ambiance. Boutiques ouv. le dim. ap.-m. ; galeries d'art (souvent situées en étage) ouv. 10 h-12 h et f. lun. pour la plupart.

Départ : Prince St., SoHo.

C'est le week-end, tandis que le reste de la ville se vide, qu'il faut visiter ce quartier à la mode *(magasins ouv. le dim.)*. West Broadway aligne les boutiques de vêtements et de décoration les plus créatives. Mais ce sont les petites rues voisines (Prince, Spring, Greene, Wooster, Mercer et Broome Sts) qui font tout le charme de SoHo avec leurs belles **façades en fonte ouvragée** et leurs immenses boutiques de décoration installées dans des lofts. Les grandes **galeries d'art** se réfugient à l'étage, fuyant la foule des badauds, et font en revanche porte close le week-end.

Little Singer Building*

561-563 Broadway et Prince St. M° Prince St. (lignes N, R).

Conçu en 1905 par E. Flagg pour Singer, le fabricant de machines à coudre, ce bâtiment est classé. De gracieuses arcatures supportées par des colonnettes rythment cette **façade*** originale de 12 étages. Dès 1906, les ascenseurs montent déjà à raison de 3 m par seconde. Les balcons de fer forgé sont décorés de panneaux de terre cuite et de fragments de porcelaine. Le nom de la firme est moulé dans la fonte, côté Prince St., l'une des rares rues à avoir conservé son nom prérévolutionnaire.
Descendez Prince St. et prenez à g. dans Greene St.

shopping

Épicerie fine

En face de Little Singer Building, entrez dans la célèbre épicerie fine de SoHo, ♥ Dean & DeLuca (560 Broadway et Prince St.). On peut même y acheter (à prix d'or) camembert et foie gras.

© B. Rieger/Hémisphères Images

▲ La Renaissance italienne et le style haussmannien ont inspiré l'architecture de SoHo.

♥ Greene Street*

Belles **façades en fonte*** dans cette rue, entre Spring et Broome Sts. **The King of Greene St.*** *(n° 72-76)* est un immeuble construit en 1873 par I. Duckworth pour la Gardner Colby Company (initiales à l'entrée), dans les styles Renaissance française et Second Empire.

Prenez à g. dans Broome St. et remontez vers Broadway.

Haughwout Building*

490 Broadway, à l'angle de Broadway et Broome St.

Construit en 1857 pour un fabricant de porcelaine fournissant la Maison-Blanche, ce fut le premier immeuble avec ascenseur Otis à vapeur, et le premier en fonte classé.

Pour rejoindre le quartier de TriBeCa, revenez sur vos pas et prenez à g. dans Greene St.

La rue aligne un ensemble de façades en fonte ; voir **The Queen of Greene St.*** *(n° 28-30)*, de Duckworth (1872), à la majestueuse façade Second Empire.

Continuez sur Greene St. puis sur Church St. après Canal St. si vous souhaitez faire une incursion dans TriBeCa (le «Triangle Below Canal Street»*). Tournez à dr. dans White St. (beaux bâtiments industriels datant de la fin du* XIX*e s). Prenez à dr. West Broadway.*

West Broadway*

M° Spring St. (lignes C, E). À ne pas confondre avec Broadway, située trois blocs plus à l'E.

Poussez les portes des galeries d'art et des boutiques de mode de l'artère principale de SoHo et des rues voisines. Entrez dans le hall du **SoHo Grand Hotel** *(310 West Broadway, entre Canal et Grand Sts, 1er ét.)*, un exemple de réhabilitation de l'architecture industrielle.

En continuant à pied sur West Broadway vers le nord, vous atteindrez Spring St., que vous prendrez à g. pour gagner le New York City Fire Museum.

New York City Fire Museum

278 Spring St., entre Varick et Hudson Sts. M° Spring St. (lignes C, E). Ouv. mar.-dim. 10 h-17 h. Entrée payante ☎ 691.1303.

Le musée occupe une ancienne **caserne** de style Beaux-Arts (1904). Les incendies qui ravagèrent la ville sont évoqués ici à travers photos et gravures anciennes : en 1835, 674 maisons du bas Manhattan et l'ancienne Trinity Church disparaissent en fumée. À voir notamment : une pompe à incendie hippomobile à vapeur (1901), les voitures à cheval et à chevaux-vapeur, les voitures de parade et leurs bannières colorées, les baquets en bois et en cuir (ancêtres de l'extincteur) et les trompettes (ancêtres de la sirène) rutilantes. Si la tenue complète du pompier new-yorkais siglée FDNY (Fire Department of New York) vous tente, rendez-vous à la boutique **New York Firefighter's Friends**, située au 263 Lafayette St. (entre Prince et Spring Sts).

économie

TriBeCa («Triangle Below Canal Street»)

Cet ancien quartier industriel, qui n'a ni le charme ni le patrimoine architectural de son voisin, a bénéficié de la hausse vertigineuse des prix de SoHo. Des célébrités y ont élu domicile : Robert De Niro, Isabella Rossellini, Harvey Keitel, Naomi Campbell, Cindy Crawford... TriBeCa, appelé aussi «Silicon Alley» – en référence à la Silicon Valley californienne –, est devenu le centre de l'industrie du multimédia. Plus de 2000 PME spécialisées dans le conseil, la création et le développement de sites web, ainsi que des éditeurs de logiciels et de jeux vidéo, s'y sont installés. Après le 11 septembre, le quartier a souffert d'une baisse de fréquentation de ses restaurants gastronomiques. Pour le faire revivre, Robert De Niro a fondé le TriBeCa Film Festival (fin avril-début mai, chaque année).

7 | Greenwich Village★★

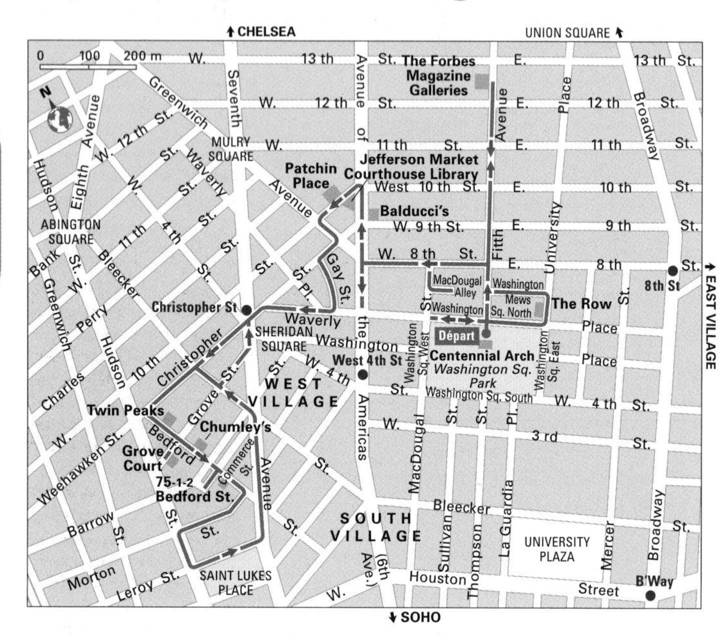

Entre l'Hudson (O), 14th St. (N), Broadway (E) et W Houston St. (S).

Départ : Washington Sq.

Greenwich Village s'articule autour de Washington Sq. et de Sheridan Sq., que sépare 6th Ave. (Ave. of the Americas). Il faudrait visiter le Village de jour pour la balade, et de nuit pour boire un verre, dîner, écouter du jazz. Beaucoup d'ambiance le week-end mais réservez au restaurant le soir.

|| Washington Square Park★

M° W4th St./Washington Sq. (lignes A, B, C, D, E, F, Q), Christopher St./Sheridan Sq. (lignes 1, 9). Bus M1, M5, M6, M8.

Ce jardin public n'a de prime abord rien de remarquable. Hormis les joueurs d'échecs, les touristes et les sans-logis, on y croise les étudiants de la **New York**

University (NYU). Celle-ci occupe plusieurs blocs autour de Washington Sq. Fondée en 1831, elle est, avec ses quelque 46 000 étudiants (dont 6 000 étrangers), la plus grande université privée des États-Unis. Seul l'arc de triomphe, qui trône face à 5th Ave., accroche le regard. C'est pourtant là le cœur du Greenwich intellectuel et artistique, un lieu culte pour les amoureux du quartier.

| Washington Centennial Memorial Arch

Cet arc de triomphe (1895; Stanford White) de style Beaux-Arts commémore le centenaire de l'**investiture de George Washington**. En 1916, quelques artistes appartenant à l'Ashcan School, dont le peintre et poète surréaliste Marcel Duchamp, grimpèrent à son sommet pour proclamer l'État de Nouvelle Bohème, la « République libre et indépendante de Washington Square » !

| The Row*

1-13 et 19-26 Washington Sq. N, derrière le Washington Arch. M° W4th St./ Washington Sq. (lignes A, C, E, F).

Ce bel alignement d'**hôtels particuliers** *(townhouses)* de style *Greek Revival* *(p. 25)*, construits vers 1830, témoigne du temps où les plus riches familles new-yorkaises habitaient en bordure du parc. Le décor de chacune des façades suit un plan d'ensemble, contrôlant la largeur du perron et la hauteur des fenêtres. Au n° 3 vécurent le peintre **Edward Hopper** (1882-1967) et l'écrivain **John Dos Passos**, qui y rédigea *Manhattan Transfer* (1925). La romancière **Edith Wharton** habita au n° 7. Beaucoup de ces maisons ont disparu, comme celle de l'écrivain Henry James *(n° 18)*.

Prenez University Pl. pour atteindre Washington Mews.

|| ♥ Washington Mews

Ruelle entre 5th Ave. et University Pl. M° W4th St./Washington Sq. (lignes A, C, E, F).

C'est une charmante ruelle pavée qui abritait autrefois les écuries *(mews)* et les logements des serviteurs employés dans les *townhouses* (maisons de ville) voisines.

bon à savoir

Si vous êtes à New York le 31 octobre, ne manquez pas la fameuse Halloween Parade, sur 6th Ave. *(p. 34)*.

histoire

Un village dans la ville

Greenwich Village a échappé au carcan du plan en damier de Manhattan. Au début du XVIIe s., les Hollandais établirent des plantations de tabac à l'emplacement d'un village algonquin. Chaque parcelle était occupée par une grosse ferme. Des rues pavées, étroites et tortueuses remplacèrent les sentiers à vaches et les cours d'eau. En 1822, des New-Yorkais aisés, fuyant les épidémies récurrentes de variole et de fièvre jaune, vinrent se réfugier aux abords de l'actuel Washington Sq. L'endroit vit bientôt s'élever des hôtels particuliers *(townhouses)*.

Dans les années 1850, l'affluence des immigrants fit refluer les nantis vers le nord, et les maisons de Greenwich furent divisées en appartements et ateliers. Au début du XXe s., Greenwich Village se peupla d'intellectuels avant de devenir, dans les années 1950 et 1960, le refuge de l'avant-garde artistique.

▲ Les terrasses à l'européenne ont pris possession des trottoirs new-yorkais, notamment dans le Village.

Les bâtiments ont été transformés en ateliers d'artistes dans les années 1930. La **New York University** en occupe la majeure partie. Au coin de University Pl. se trouve le Centre d'études françaises.

Remontez tout droit 5th Ave. pour visiter The Forbes Magazine Galleries, situées à cinq blocs au nord.

♥ The Forbes Magazine Galleries*

62 5th Ave., entre 12th et 13th Sts. M° 14th St./Union Sq. (lignes N, R). Bus M2, M3, M5, M7, M14. Ouv. mar., mer., ven., sam. 10 h-16 h, f. dim., lun., jeu. Entrée libre (collections exposées par roulement) ☎ 206.5548/49.

Ce bâtiment construit par Carrère & Hastings en 1925 abrite les locaux du célèbre magazine *Forbes* (pour les « *rich and famous* ») et la collection très éclectique de **Malcolm Forbes**, milliardaire et fondateur du magazine : lettres, autographes de présidents et autres documents historiques, premières maquettes du jeu de Monopoly inventé en 1933, tableaux militaires du XIXe s., aérostats, soldats de plomb (12 000), modèles réduits de bateaux, etc. Le musée possède surtout la plus importante collection privée au monde d'**œufs** de Fabergé**, orfèvre officiel de l'ancienne Cour impériale de Russie.

Redescendez 5th Ave. Prenez 8th St., à dr., puis à g. MacDougal St. (l'écrivain Anaïs Nin [1903-1977] vécut au n° 144).

Après un crochet par MacDougal Alley, bel ensemble d'habitations où vécut G. Vanderbilt W., Reprenez 8th St. à g. jusqu'à l'intersection avec 6th Ave., l'un des pivots du quartier.

Continuez sur 6th Ave. et empruntez W10th St. à g. Prenez à g. dans W10th St. De Patchin Pl., continuez sur W10th St. jusqu'à Greenwich Ave., que vous traverserez, puis à g. empruntez Christopher St., puis encore à g. Gay St.

Gay Street

Cette ruelle portait ce nom bien avant l'arrivée des gays dans le quartier; c'est un alignement de **maisons*** de brique de styles fédéral et *Greek Revival (p. 25)*, construit à l'emplacement d'un ancien ghetto noir.

Prenez à dr. Waverly Pl. (l'écrivain Edgar Allan Poe vécut au n° 137), puis à g. Christopher St. Au n° 53 de cette rue se trouve le Stonewall Inn, un bar d'où partit le mouvement de libération homosexuelle (p. 86) en 1969.

Sheridan Square

7th Ave. et W4th St. M° Christopher St./Sheridan Sq. (lignes 1, 9).

Ce lieu de rassemblement et de rencontre est l'un des pivots de Greenwich Village. En 1863, cette place fut le théâtre de graves émeutes, les Draft Riots, dont l'une des causes fut l'arrivée massive d'esclaves noirs récemment affranchis, menaçant les emplois des Irlandais. Dans le jardin public attenant (Christopher Park) se dresse la statue du **général Sheridan**, qui s'illustra pendant la guerre de Sécession par cette fameuse petite phrase: «*Un bon Indien est un Indien mort...*»

En empruntant Christopher St. vers l'ouest, on gagne West Village.

shopping

Épicerie fine

En remontant la 6th Ave., arrêtez-vous dans la boutique ♥ Balducci's (424 6th Ave. et W9th St.), l'une des épiceries fines les plus pittoresques de Manhattan.

|| ♥ West Village**

M° Christopher St./Sheridan Sq. (ligne 1). Bus M8.

Cette partie de Christopher St. marque le centre du **quartier homosexuel**. Explorez le bloc situé entre Christopher St., Hudson St. et 7th Ave., avec ses petites ♥ **maisons** de style fédéral, préservées avec amour.

● **Twin peaks** *(102 Bedford St.)* est une maison de style Tudor (1830; Clifford Daily) qui accueille désormais des ateliers d'artistes. Au coin de Bedford et de Grove Sts se trouve l'une des plus vieilles maisons de bois de Greenwich Village (1822).

Prenez tout de suite à dr. dans Grove St., où se trouve Grove Court.

● ♥ **Grove court*** *(10-12 Grove St.)*. On peut admirer à travers la grille les six petites maisons de brique rouge de style fédéral (1854) que l'épicier Samuel Cocks louait à des ouvriers.

Revenez sur Bedford St.

● **Chumley's** *(86 Bedford St.)*. Fondé en 1831, ce fut l'un de ces bars **clandestins** *(speakeasies)* où l'on servait de l'alcool durant la Prohibition (1919-1933). Les écrivains John Dos Passos, William Faulkner et Ernest Hemingway comptaient parmi les habitués. Les couvertures de leurs livres tapissent encore les murs à l'intérieur. Lors des descentes de police, on pouvait s'échapper, à l'arrière du bâtiment, par un passage qui mène au 58 Barrow St. *(voir aussi p. 160)*.

● ♥ **75 1/2 Bedford Street**. C'est la maison la plus étroite de Manhattan (1873). Sa façade ne mesure que 2,90 m de large. Elle appartint notamment à l'acteur John Barrymore et à la poétesse féministe Edna St Vincent Millay. La maison voisine *(77 Bedford St.)* serait la plus ancienne du Village (1799).

Prenez à dr. dans Morton St., puis à g. dans Hudson St., et encore à g. dans St Luke's Pl. Traversez 7th Ave. South et poursuivez dans Leroy St. pour rejoindre ***Bleecker St.****, l'une des rues les plus charmantes et les plus animées, au cœur du Village, avec ses antiquaires et ses salons de thé.* ●

population
Gay Liberation

La sculpture de George Segal, *Gay Liberation* (1992), située dans Christopher Park, est un symbole cher à la communauté homosexuelle. En 1969, le Village s'enflamma lors d'une descente de police au Stonewall Inn (53 Christopher St.), un bar fréquenté par les gays : les réunions d'homosexuels étaient alors interdites. Cette émeute déclencha un vaste mouvement de revendication pour les droits des homosexuels dans tout le pays. C'est de Sheridan Sq. que part chaque année la Gay Pride March, la grande marche des gays. ●

détour
Meatpacking District

À l'orée de Chelsea, l'ancien quartier des frigos à viande est devenu l'endroit le plus à la mode de Manhattan *(voir aussi p. 93)*. ●

8 | East Village*

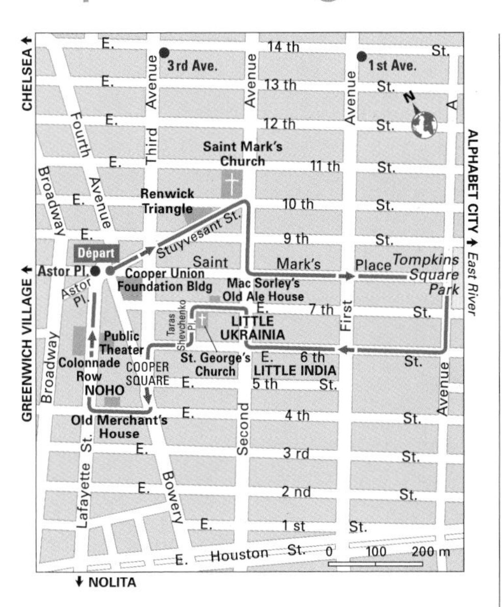

L'East Village faisait autrefois partie du Lower East Side *(p. 77)*. Il a connu les vagues d'immigrants et le délabrement. Dans les années 1950, artistes et intellectuels de la *beat generation* en ont fait leur fief, et c'est toujours l'esprit bohème qui domine. East Village a conservé de cette époque un goût prononcé pour le non-conformisme et la provocation.

|| Astor Place

M° Astor Pl. (ligne 6). Bus M1, M2, M8, M15, M101 à M103.

C'est le lieu de rendez-vous préféré des marginaux de toutes sortes, autour d'*Alamo*, l'énorme cube pivotant (1967) réalisé par Bernard Rosenthal. La **station de métro** d'Astor Pl. (1904) a retrouvé son décor d'origine :

Entre E Houston St. (S), 14th St. (N), Broadway (O) et East River (E).

Départ : Astor Pl.

le castor qui orne les plaques murales évoque le commerce de la fourrure auquel **John Jacob Astor** devait sa fortune. Il possédait un assez vaste lotissement dans cette partie de la ville.

| Cooper Union Foundation Building

30-41 Cooper Sq., sur Astor Pl. Ne se visite pas.

Peter Cooper (1791-1883), le père de la locomotive à vapeur et des rails d'acier, finança la construction d'un collège mixte pour enfants défavorisés. Le collège d'arts appliqués, très réputé, est toujours privé et gratuit. Premier bâtiment à structure d'acier de la ville, le **Great Hall** fut inauguré par Mark Twain en 1859. L'année suivante, le futur président Abraham Lincoln y prononça son célèbre discours sur l'esclavage « Le droit fait la force ».

Gagnez l'arrière du Cooper Union Building, puis traversez 3rd Ave. pour rejoindre Stuyvesant St.

|| Stuyvesant Street*

Stuyvesant Street est l'une des rues les plus anciennes d'East Village où, par bonheur, de nombreuses maisons ont été préservées. Le **Renwick Triangle*** *(nos 23-35)* est un bloc de 16 maisons de style anglo-italien (1861 ; J. Renwick Jr.). Au n° 21, la **Stuyvesant Fish House** (1803) est une demeure en brique, de style fédéral. La maison de **Peter Stuyvesant** se trouvait à l'angle de Stuyvesant St. et de 10th St.

|| ♥ St Mark's in the Bowery Church*

E10th St. et 2nd Ave. M° Astor Pl. (ligne 6). Bus M15. Ouv. sept.-juin lun.-sam. 9 h-17 h, dim. 10 h 30-12 h.

Cette église épiscopalienne fut construite en 1799 sur la propriété (*bowerij* signifie « ferme ») de l'ancien gouverneur de la Nouvelle Amsterdam, Peter Stuyvesant, qui repose sous la chapelle. On fait dans cette église des lectures de poésie chaque semaine. C'est l'une des plus anciennes de la ville.

Tournez à dr. sur 2nd Ave. jusqu'à St Mark's Pl. (E8th St.), que vous prendrez à g.

▲ East Village : un quartier où il fait bon flâner le dimanche matin...

St Mark's Place*

Sur 8th St. ; la rue s'appelle St Mark's Pl. entre Astor Pl. et Ave. A.

La rue la plus commerçante d'East Village a été longtemps fréquentée par les hippies, et les marginaux s'y sentent toujours chez eux. Les boutiques *(ouv. t.l.j.)*, d'où émanent des senteurs de patchouli, vendent fripes, livres et disques d'occasion.

En continuant sur St Mark's Pl., vous rejoindrez Tompkins Sq. Park.

Tompkins Square

Alphabet City (Ave. A-Ave. D), entre E10th St., Ave. A, E7th St. et Ave. B.

Ce jardin public était fréquenté par les hippies dans les années 1960 ; par la suite, il est devenu le rendez-vous des *junkies* (drogués). Le quartier s'est récemment assaini et ce square accueille désormais... une aire de jeux pour enfants.

Tournez à dr. dans Ave. A jusqu'à E6th St., que vous prenez à dr.

Little India

E6th St., entre 182 1st et 2nd Aves. M° Astor Pl. (ligne 6). Bus M8, M14, M15.

Cette partie de 6th Ave., entre 1st et 2nd Aves, est dédiée à la gastronomie indienne, à des prix très abordables *(p. 155)*. Le soir, rendez-vous au restaurant de préférence en taxi et ne vous éloignez pas trop des endroits animés.

Tournez à dr. dans 2nd Ave. puis à g. dans E7th St. pour rejoindre le quartier ukrainien.

Little Ukrainia

Entre 2nd et 3rd Aves. M° Astor Pl. (ligne 6). Bus M8, M15, M101 à M103.

La communauté ukrainienne de New York compte plus de 30 000 personnes. Le 17 mai, elle fête la conversion des Ukrainiens au christianisme sur **Taras**

bon à savoir

Visitez East Village de préférence un dimanche matin, quand les résidents font leur marché ou leur jogging, les Ukrainiens vont à la messe et la plupart des boutiques sont ouvertes. Évitez par ailleurs de vous balader à pied la nuit dans la zone est, surnommée « Alphabet City », dont les avenues sont désignées par les lettres A, B, C et D.

une pause ?

Bar irlandais

Le bar irlandais Mac Sorley's Old Ale House (15 E7th St.) est l'un des plus anciens de New York (1854), longtemps interdit aux femmes ; son décor bizarre est d'origine.

Shevchenko Pl., près de St George's Church *(messe orthodoxe le dim. à 11 h)*. Bons restaurants de spécialités ukrainiennes dans ce quartier.

Gagnez 3rd Ave., que vous traverserez, puis prenez 30 E7th St.

NoHo (North of Houston)

Entre Astor Pl. (N), Broadway (O), E Houston St. (S) et 3rd Ave. (E).

Au XIXe s., cette partie d'East Village était un centre d'industrie textile. Aujourd'hui, l'endroit accueille des restaurants et magasins branchés.

Tournez à dr. dans Lafayette St.

Colonnade Row

428-434 Lafayette St. M° Astor Pl. (ligne 6), 8th St./Broadway (lignes N, R). Bus M1, M8.

Ce quartier fut loti vers 1830. On l'appelait «**The Golden Coast**» (la côte d'Or) car il se situait à la limite des zones construites. Les familles les plus fortunées s'établirent dans d'élégants hôtels particuliers, puis abandonnèrent le quartier, devenu trop populaire à leur goût. Il ne reste que quatre des neuf **hôtels particuliers** à fronton néogrec et colonnes corinthiennes qui faisaient de Colonnade Row la meilleure adresse de New York. Les Vanderbilt, les Delano (dont Warren, le grand-père de F. D. Roosevelt), les Astor, mais aussi les écrivains William Thackeray, Charles Dickens et Washington Irving vécurent dans ces bâtiments, aujourd'hui peu mis en valeur *(ne se visitent pas)*.

détour

Ukrainian Museum

222 E6th St., entre 2nd et 3rd Aves. Ouv. merc.-dim. 11h30-17h. M° Astor Place (ligne 6). www.ukrainianmuseum.org. Collections d'arts traditionnels ukrainiens présentées au cours d'expositions temporaires.

Midtown

À toute heure du jour, le Lower Midtown, quartier d'affaires, semble atteint d'activisme aigu. Derrière le grand magasin Macy's s'étend le quartier de la confection (Garment Center), l'équivalent du Sentier à Paris. L'industrie du vêtement est, de toutes, la plus lucrative à New York. Et puis il y a Chelsea et le quartier du Flatiron, entre bohème et restaurants branchés. Plus au nord, c'est Upper Midtown, avec ses immeubles d'affaires. Le soir, la vie se déplace sous les feux de la rampe de Broadway...

▲Times Sq., le carrefour le plus fréquenté de la ville. Ici, les panneaux publicitaires géants *(billboards)* sont d'un réalisme saisissant.

9 | Chelsea★

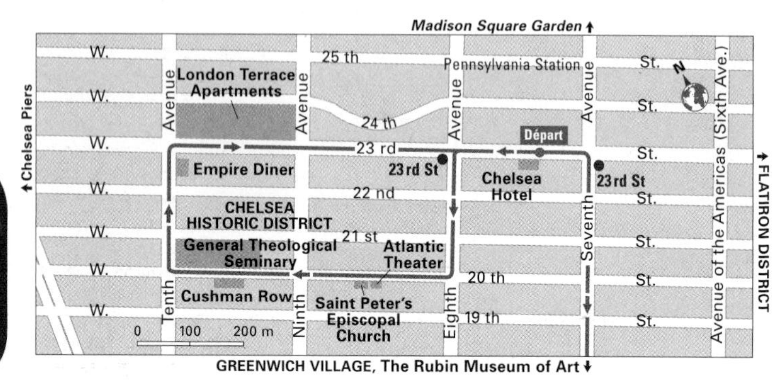

Entre l'Hudson (O), 6th Ave. (E), W14th St. (S) et W34th St. (N). Départ : Chelsea Hotel.

Habité par la bourgeoisie dans les années 1860, quartier des théâtres en 1880-1890 et du cinéma de 1905 à 1915, Chelsea a connu bien des métamorphoses. C'est aujourd'hui l'un des lieux les plus attachants de New York, à l'ambiance bohème, propice à la flânerie et à la détente avec ses *rowhouses* et ses petites terrasses à l'européenne.

Chelsea Hotel★

222 W23rd St., entre 7th et 8th Aves. M° 23rd St. (lignes 1, 9, C, E). Bus M10, M23 ☎ 243.3700. www.chelseahotel.com.

Situé dans l'ancien quartier des théâtres, ce vieil hôtel (1884) est un **lieu culte** à la réputation sulfureuse. Dans les années 1960, c'était une sorte de phalanstère où circulaient une incroyable énergie créatrice, beaucoup d'émulation et de tolérance. Comme Mark Twain à la fin du XIXe s., de nombreux artistes en firent leur nid en y vivant à l'année. Parmi eux : Sarah Bernhardt, Leonard Cohen, Bob Dylan, Milos Forman, Tennessee Williams, Jack Kerouac, Arthur Miller, Jackson Pollock, Vladimir Nabokov, Thomas Wolfe, Yves Klein, Andy Warhol (qui y tourna *Chelsea Girls* en 1966).

Il y eut aussi quelques mauvaises vibrations avec Sid Vicious, bassiste des Sex Pistols qui, sous l'emprise de la drogue, y poignarda sa compagne, et le poète Dylan Thomas, qui y mourut alcoolique.

Le **hall** d'entrée est orné d'œuvres hétéroclites laissées en gage par des artistes fauchés. Très belle **cage d'escalier** en ferronnerie, parfaitement conservée.

Du Chelsea Hotel, continuez sur 23rd St., puis prenez 8th Ave. vers le sud pour rejoindre 20th St. Passez l'Atlantic Theater, St Peter Episcopal Church et continuez sur W20th St. vers l'ouest pour gagner le quartier historique.

Chelsea Historic District*

Entre W20th et 21st Sts., 9th et 10th Aves. M° 23rd St. (lignes C, E). Bus M11, M14, M23.

Le quartier historique de Chelsea a conservé ses élégantes rangées de maisons du XIXe s., soigneusement entretenues, que l'on découvre en flânant dans des rues ombragées et paisibles.

• **Cushman Row*** *(406-16 W20th St.)*. De style *Greek Revival*, c'est l'un des plus beaux **alignements de façades** des années 1840, avec celui de Washington Sq. North, dans Greenwich Village. Ces maisons furent construites pour Don Alonzo Cushman, un riche commerçant. Notez les couronnes de lauriers en fonte qui ornent les fenêtres et les ananas qui décorent le perron en signe d'hospitalité. Jetez un œil également aux maisons aux nos 446-450, de style italianisant.

• **General Theological Seminary** *(175 9th Ave., entre W20th et 21st Sts; ouv. lun.-ven. 12h-15h, sam. 11h-16h, dim. 14h-16h ☎ 243.5150)*. Ce collège épiscopalien de théologie réputé s'étend sur un bloc entier. Il a été fondé en 1817, mais le bâtiment le plus ancien *(West Building)*, de style *Gothic Revival*, date de 1836. La bibliothèque *(St Mark's Library)* est de 1960 et possède une riche collection de **bibles*** dont celle de Coverdale (1535), la première imprimée en anglais.

Prenez à dr. sur 10th Ave.

histoire
Meatpacking District

Le Meatpacking District, côté ouest, a connu une conversion radicale et spectaculaire avec la réhabilitation progressive des entrepôts et frigos à viande *(p. 86)*. En 1994, une première galerie s'y est installée, bientôt imitée par d'autres à cause de la montée des prix dans SoHo. Le quartier est très vite devenu une sorte de « Far West » de l'avant-garde artistique. Bientôt ont surgi des bars et des restaurants branchés, des hôtels design et de luxueuses boutiques de vêtements de créateurs. En quelques années, le Meatpacking District s'est affirmé comme l'un des hauts lieux de la nuit new-yorkaise. À l'image du quartier, la population a elle aussi changé de visage ; la bohème traditionnelle de Chelsea a fui les loyers élevés et laissé la place à une population plus aisée de yuppies décalés, de retraités branchés et d'artistes en pleine ascension.

art contemporain
Dia Center for the Arts

548 W22nd St., entre 10th et 11th Aves. M° W23rd St. Env. 15 mn de marche. Bus M23, M11 ☎ 989.5566. Ouv. mar.-sam. 10 h-18 h. Un centre culturel d'art d'avant-garde, installé dans l'un des entrepôts réhabilités de West Chelsea. Les expositions y sont particulièrement « pointues ». Une très belle vue* sur l'Hudson depuis le café situé sur le toit, mais l'environnement manque d'attrait et l'accès est peu pratique, sauf si vous prenez le taxi. ●

Empire Diner*

210 10th Ave., entre W22nd et 23rd Sts. M° 23rd St. (lignes 1, 9, C, E). Bus M11, M23 ☎ 243.2736.

C'est le plus célèbre *diner* de New York *(p. 154)*, entièrement refait dans le **style Art déco** d'origine (1929), tout de zinc et de chrome noir. Ces bâtiments horizontaux très compacts sont souvent surmontés, comme celui-ci, de mâts futuristes inspirés des gratte-ciel. Les noctambules viennent y prendre leur petit déjeuner le dimanche matin.

Prenez à dr. dans 23rd St.

♥ The Rubin Museum of Art*

150 W 17th St. (entre 6th et 7th Aves) M° 14th St. (lignes A, C, E, F, D, 2, 3), 18th St. (lignes 1, 9). Bus M10, M11. Ouv. mar. et sam. 11 h-19 h, jeu. et ven. 11 h-21 h, mer. et dim. 11 h-17 h. Entrée payante ☎ 620.5000. www.rmanyc.org.

Aménagé récemment dans l'ancien magasin Barney's, autour d'un superbe escalier dessiné par la styliste française Andrée Putman, ce petit musée privé d'art himalayen est un vrai bijou.

Du nord de l'Inde au sud-ouest de la Chine, du Népal à la Birmanie, de la Mongolie à l'Afghanistan, les précieux objets réunis au RMA (*tankas* tibétaines, tissus rares, sculptures du IIe s. au XIXe s.) témoignent de la puissance créatrice des peuples de l'Asie. Les collections, riches de plus de 1 200 objets de grande qualité, sont accessibles au public à l'occasion de remarquables expositions temporaires. ●

10 Du Flatiron Building à Gramercy Park*

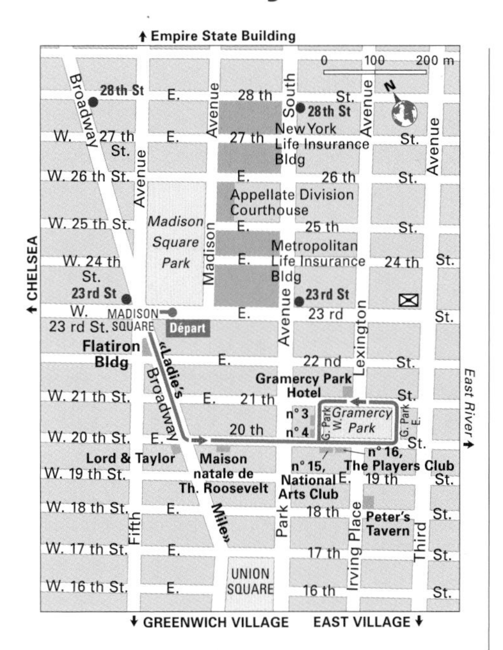

Les amateurs d'architecture viennent admirer la proue vertigineuse du Flatiron Building qui domine Madison Sq. Park. Le quartier y a gagné un nom, Flatiron District, et un nouvel acronyme, SoFi, pour « South of Flatiron » !

Départ : Madison Sq. Park.

♥ Flatiron Building*

175 5th Ave., entre 22nd St. et 23rd St. M° 23rd St. (lignes 6, N, R). Bus M2, M3, M5 à M7, M23. Ne se visite pas.

Cet immeuble d'angle de 21 étages (87 m), très osé pour l'époque, marque le début de l'ère des gratte-ciel à New

© I. Villaud

▲ Le Flatiron Building (1902) fut le premier gratte-ciel digne de ce nom à New York. Il fut aussitôt comparé à un fer à repasser.

York. Il fut construit en 1902, pour le compte de la Fuller Construction Company, par D. H. Burnham, le grand architecte de l'école de Chicago. On le surnomma «***Flatiron*»** (**le fer à repasser**). Les façades de pierre, plaquées sur la structure porteuse en acier, sont ornées de motifs de style Renaissance italienne. Les New-Yorkais étaient persuadés que les vents qui soufflaient dans 23rd St. auraient raison de la «**folie de Burnham**». On les disait si violents que les hommes se postaient en face, non pour guetter la chute de l'édifice, mais pour voir se retrousser les longues jupes des dames, découvrant leurs chevilles!

Prenez Broadway vers le sud. Au n° 901 (à l'angle de E20th St. et Broadway), remarquez un immeuble au décor de fonte de style Second Empire; c'était l'ancien magasin ***Lord & Taylor****. Prenez ensuite E20th St. à g. Continuez tout droit jusqu'à Gramercy Park.*

♥ Gramercy Park★★

Entre 20th St. (S) et 21st St. (N), Park Ave. S (O) et 3rd Ave. (E). M° 23rd St. (lignes 6, N, R). Bus M1 à M3, M23, M101 à M103. Square privé: ouv. au public uniquement la veille de Noël.

C'est l'une des quatre places arborées créées dans les années 1830-1840, sur le modèle des squares anglais, afin d'attirer ici les riches investisseurs. Ce petit bijou est l'un des endroits les plus charmants de la ville. Seuls les riverains ayant acquitté un droit d'entrée annuel (assez élevé) possèdent une clé de la grille. Le précieux sésame est renouvelé tous les six mois par précaution. On vous en remettra une si vous séjournez au Gramercy Park Hotel *(p. 149)*. Les acteurs aiment particulièrement ce quartier. Julia Roberts, Susan Sarandon et Uma Thurman y sont installées. Des scènes du film *Le Temps de l'innocence* de Martin Scorsese y ont été tournées. Beaucoup de ces *rowhouses* sont occupées par des clubs privés très sélects, fondés à la fin du XIXe s. et longtemps réservés aux hommes. ●

11 | Autour de l'Empire State Building★★

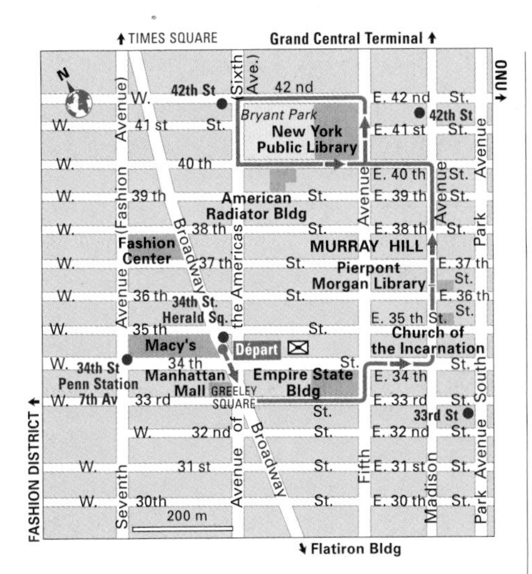

Le plus haut gratte-ciel de la ville projette son ombre sur tout le quartier. La vue depuis la plate-forme d'observation emporte tous les suffrages. Le minuscule triangle de Herald Sq. est le pivot du quartier et l'un des carrefours les plus congestionnés de New York. Profitez de votre visite pour faire votre shopping : Macy's ou encore les 14 étages du Manhattan Mall vous combleront.

Herald Square

Départ : Herald Sq.

M° 34th St./Herald Sq. (lignes B, D, F, N, Q, R). Bus M4 à M7, M16, M32, M34.

Dans les années 1880, cet endroit était au centre du Tenderloin, un quartier connu sous le nom de « *Satan's Circus* » (le cirque de Satan), à cause de ses lupanars, bastringues

carte d'identité
L'Empire State Building

- **Inauguration.** 1er mai 1931. Durée des travaux : 1 an et 45 jours. Nombre d'ouvriers : 3439 en août 1930. Coût : 40 millions de dollars.
- **Hauteur.** 381 m ; 443 m avec la flèche. 102 étages, dont 85 de bureaux conçus pour 20 000 employés, soit au total 654 000 m². 6 500 fenêtres. Poids : 365 000 t (60 000 t d'acier). Deux étages de fondations. Matériaux : 200 piliers de béton et d'acier, 10 millions de briques.
- **Ascenseurs.** 73 ; vitesse : 22 km/h ; 1 mn pour atteindre le 80e étage.
- **Marches.** 1575 (comptez 30 mn pour descendre à pied). Record : 11 mn pour monter (c'est le record battu par un concurrent de l'Empire State Run-Up, en 1987).
- **Fréquentation.** 18 000 personnes y travaillent et 3,8 millions de personnes le visitent chaque année.

et cabarets à trois sous. L'installation du journal *New York Herald*, en 1894 (jusqu'en 1921), et de **Macy's**, en 1901, changèrent sa physionomie. L'intersection de Broadway et de 6th Ave. prit alors le nom de Herald Sq. L'**horloge** de la place provient du bâtiment qu'occupait le journal. Chaque heure, deux sonneurs, baptisés Stuff et Guff, venaient frapper la cloche de bronze de leurs maillets.

Macy's*

151 W34th St. et Broadway. M° 34th St./Penn Station (lignes B, D, F, N, Q, R). Bus M4 à M7, Q32.

Ce grand magasin, qui occupe un bloc entier, se définit lui-même comme « le plus grand du monde ».

L'étoile rouge, emblème de Macy's, rappelle le tatouage de son fondateur, R. H. Macy, qui fut capitaine de baleinier avant de se lancer dans le commerce. En 1901, l'arrivée de Macy's sur Herald Sq. signa le déclin de ses principaux concurrents d'alors, Gimbel, situé à l'emplacement du Manhattan Mall, et Cooper-Siegel. Une plaque rappelle le souvenir du second propriétaire, Isidor Straus, qui périt dans le naufrage du *Titanic* en 1912. Macy's organise chaque année le feu d'artifice du 4 juillet (Independence Day) et la ♥ **parade de Thanksgiving** le dernier jeudi de novembre *(p. 35)*.

Prenez 33rd St. vers l'est et tournez à g. dans 5th Ave.

Empire State Building***

350 5th Ave. et W34th St. M° 34th St./Herald Sq. (lignes B, D, F, N, Q, R), W33rd St. (ligne 6). Bus M1 à M7, M16, M32, M34. Ouv. t.l.j. 8h-minuit. Vente des billets jusqu'à 23h. Observatoires au 86e et au 102e étages. Possibilité de billet groupé pour le Skyride (simulation d'un vol au-dessus de Manhattan), une attraction assez amusante, mais pas franchement indispensable. Env. 30 mn d'attente ☎ 736.3100. www.esbnyc.com.

Le célèbre gratte-ciel fut précédé sur ce site par le Waldorf Astoria Hotel (1897), un palace de 1 300 chambres, propriété de J. J. Astor IV, l'un des hommes les plus riches d'Amérique. En 1931, l'hôtel fut reconstruit sur Park Avenue.

© B. Rieger/Hémisphères Images

◀ De l'observatoire de l'Empire State Building, au 86e étage (320 m), la vue est saisissante.

En plein ciel

L'Empire State Building (1930-1931; Shreve, Lamb & Harmon) est né de la lutte d'influence que menaient dans les années 1930 deux géants de l'industrie automobile, **Chrysler** et la **General Motors**. Son commanditaire, J. J. Rascob, de la General Motors, était bien décidé à damer le pion à la firme rivale: à peine la flèche Art déco du merveilleux Chrysler Building *(p. 103)* dominait-elle le monde que déjà s'élevaient les premiers étages de l'Empire State. En pleine Dépression, deux mois seulement après le krach de la Bourse (1929), les travaux de l'Empire State commençaient. L'immeuble de

détour
E42nd S

Vous fuyez le bruit et cherchez un endroit calme? Faites une halte à la grande bibliothèque et explorez E42nd S: les façades d'immeubles des années 1930 se succèdent en pente douce jusqu'à l'East River, où se trouve le siège de l'ONU. À moins d'aimer les bains de foule, évitez de visiter le quartier de l'Empire State Building le samedi, jour de folie, l'heure du déjeuner et les fins d'après-midi. ●

bureaux s'éleva avec une rapidité stupéfiante, au rythme de quatre étages et demi par semaine ! Des essaims d'ouvriers funambules (les *sky boys*) assemblaient les pièces préfabriquées d'un gigantesque jeu de construction. Leur journée de travail commençait à 3 h 30 et se terminait à 16 h 30. 12 mois et 45 jours en tout ! On lui donna le surnom de l'État de New York : « *Empire State* ». Malgré la fascination qu'il exerçait, l'Empire State resta longtemps une opération immobilière peu rentable – ce qui lui valut le sobriquet d'« *Empty State* » (l'État vide). Depuis la disparition des tours jumelles, l'Empire State est de nouveau le plus haut gratte-ciel de la ville.

● **Le bâtiment**. La plate-forme principale, au **86e étage★★★**, domine tout Manhattan (443 m). Celle du 102e étage (373 m, 1,20 m de large) permet d'admirer la **vue★★** derrière une vitre. Elle devait servir, ainsi que la flèche qui la surplombe, de point d'ancrage pour dirigeables, mais ce projet ambitieux fut abandonné après plusieurs tentatives qui frôlèrent la catastrophe. Depuis, la flèche a été transformée en antenne de télécommunications. En 1933, Schoedsack et Cooper immortalisèrent l'édifice dans *King Kong*, devenu film culte. En juillet 1945, un bombardier B-25 s'écrasa contre la façade nord, au niveau du 79e étage ; l'un des moteurs traversa l'édifice avant de plonger dans 33rd St., faisant 14 morts et 26 blessés – une sténodactylo coincée dans un ascenseur fit une chute de 79 étages et en sortit indemne !

En sortant, prenez à dr. sur 34th St., puis à g. dans Madison Ave.

détour
Oasis urbaines et Art déco

New York Public Library, de style Beaux-Arts, qui fonctionne comme un vrai forum urbain, mais aussi **Bryant Park** *(W40th-42nd Sts, au niveau de 6th Ave.)*, où les grands défilés de mode ont lieu sous des tentes. Ou encore **l'American Radiator Building★**, appelé aussi American Standard Building *(40 W40th St.)*, qui fut le premier immeuble Art déco de New York (1924), réalisé par le grand Raymond Hood *(p. 107)*. Le décor de la façade évoque les radiateurs et les chaudières que fabriquaient ses commanditaires. Il abrite maintenant l'hôtel Bryant. ●

♥ Pierpont Morgan Library★★

29 E36th St. et Madison Ave. M° 33rd St. (ligne 6). Bus M1 à M4, M16, M34 ☎ 685.0008. www.morganlibrary.org. F. pour restauration, réouverture courant 2006.

Le financier John Pierpont Morgan (1837-1913) fit construire ce palais néo-Renaissance (1906 ; McKim, Mead & White) dans le quartier résidentiel de Murray Hill (34th-40th Sts et 3rd-Madison Aves) pour y abriter ses fabuleuses **collections d'incunables** et de **livres**

rares. Il légua ce trésor culturel à la ville pour *« le plaisir et l'instruction de ses citoyens »*. À côté, la **Morgan House**, un hôtel particulier de 45 pièces appartenant au fils du collectionneur (1852) et une annexe (1928), complètent l'ensemble. L'architecte Renzo Piano vient de réaliser une remarquable extension tout en transparence, qui ordonne les bâtiments anciens autour d'un patio central. Pour l'occasion, la Pierpont Morgan Library expose de nouvelles acquisitions dont 20 lettres et dessins, de Vincent Van Gogh au peintre Émile Bernard, ainsi que les dessins originaux de Babar par Jean de Brunhoff publiés en France en 1931.

Pour rejoindre la promenade suivante, gagnez 42nd St. •

12 | De Grand Central Terminal à l'ONU*

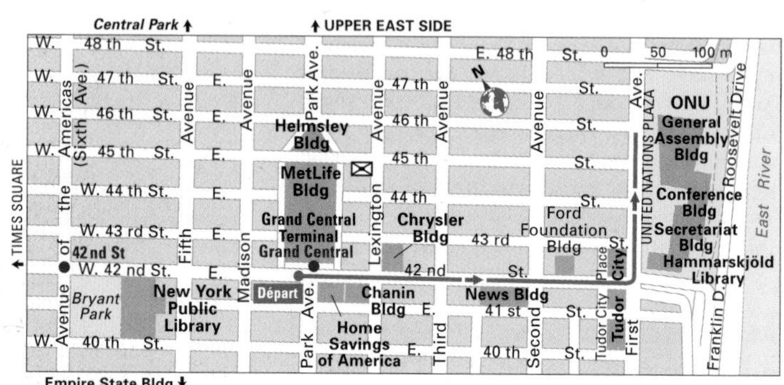

Départ : Grand Central Terminal.

Comptez une demi-heure de marche depuis la gare de Grand Central pour gagner les bords de l'East River, où se trouve le siège de l'Organisation des Nations unies.

Cette promenade intéressera particulièrement les amateurs d'architecture. En parcourant E42nd St. à partir de Grand Central Terminal, vous pourrez admirer à loisir quelques belles façades d'immeubles Art déco, notamment celles du Chanin Building, du Chrysler Building et du News Building.

♥ Grand Central Terminal*

Vanderbilt Ave. Entre E42nd St. (S) et E45th St. (N). M° 42nd St./ Grand Central (lignes 4, 5, 6, 7, S). Bus M42, M98, M101 à M104 ☎ 340.2583. www.mta.info.com.

La plus belle gare des États-Unis occupe un bloc entier sur Park Ave. Il faut absolument la traverser lors d'une première visite de la ville. L'édifice, achevé en 1913 par les architectes Warren & Wetmore et Reed & Stem, était d'avant-garde : il disposait de deux voies superposées en boucle, permettant aux trains de faire demi-tour. Les voies ferrées souterraines accueillent aujourd'hui plus de 500 trains et 200 000 voyageurs par jour. Le trafic est essentiellement orienté vers la banlieue.

détour
Helmsley Building

Derrière la gare et le MetLife Building, le **Helmsley Building** (1929), siège de la New York Central Railroad (compagnie de chemins de fer), clôt la perspective sur la très résidentielle Park Ave. ●

• **L'entrée principale*** *(sur 42nd St.)*. Elle est dominée par une **triade** à l'antique (1914) : Hercule, Minerve et Mercure incarnent respectivement la Force morale, la Force intellectuelle et la Grandeur du commerce. À l'entrée trône la statue du magnat des transports Cornelius Vanderbilt (1794-1877) qui, considérant l'expansion rapide de la ville, eut l'idée de construire une gare (1871) à cet endroit, mais qui fut finalement détruite. L'horizontalité de l'entrée monumentale de la gare est accentuée par la haute silhouette du MetLife Building.

• **Le grand hall**** *(114 m de long, 36 m de large et 38 m de hauteur sous voûte)*. Il a fière allure avec son décor de marbre, ses lustres et son grand escalier. Il a été récemment restauré à grands frais. La **voûte*** est ornée d'une carte du ciel réalisée (à l'envers) par Paul Helleu en 1945. Le **bureau d'information***, surmonté d'une horloge à quatre cadrans, est d'époque. Le hall et son horloge figurent dans bon nombre de films.

♥ Chrysler Building**

E42nd St. et Lexington Ave. Entrée : 405 Lexington Ave. M° 42nd St./ Grand Central (lignes 4, 5, 6, 7). Bus M1, M2, M42, M98, M101 à M104. Ouv. aux heures de bureau ☎ 682.3070.

Walter Percy Chrysler (1875-1940), président de la firme automobile Chrysler, se lança, comme beaucoup d'autres, à la conquête du ciel. Surpasser en hauteur la Bank of Manhattan de H. Craig Severance, en construction sur Wall St. dans les années 1929-1930, et la tour Eiffel était son vœu le plus cher. Pari gagné. Grâce à l'ajout final d'une **flèche d'aluminium** de 60 m réalisée dans le plus grand secret, le Chrysler Building, haut de 77 étages et de 319 m, devint le toit du monde en 1930, mais se vit doubler quelques mois plus tard par l'Empire State Building *(p. 98)*. Van Allen, l'architecte du Chrysler Building, ne fut jamais récompensé de son talent : l'accusant de corruption, Chrysler refusa de le payer, et ce scandale mit un terme à sa carrière.

Prenez à g. 1st Ave. jusqu'à l'entrée de l'ONU (au niveau de E46th St.).

▲ Construit en 1930 dans le style Art déco, le Chrysler Building s'élève à 319 m. Sa flèche rappelle les chapeaux de perles et de paillettes dont se coiffaient les femmes à l'époque.

défense
Une force pour la paix

L'Organisation des Nations unies est née le 24 octobre 1945, à San Francisco, de la volonté conjointe de 51 pays de créer une force d'intervention pour garantir la paix dans le monde. Elle a remplacé la Société des nations (SDN), qui fut fondée en 1920 à l'instigation du président Wilson pour maintenir la paix – ce en quoi elle se montra impuissante. Un an et demi après sa naissance, l'ONU n'avait toujours pas de siège permanent. Le choix d'une ville d'accueil fut la première et difficile décision prise en commun par les États membres : New York fut préférée à San Francisco et à Genève. Sur les 62 000 fonctionnaires employés par l'ONU dans le monde, 10 000 travaillent au siège de New York. L'ONU est composé aujourd'hui de 192 États membres et regroupe 30 organismes. ●

United Nations** (ONU)

1st Ave. (entrée au niveau de E46th St.), au bord de l'East River. M° 42nd St./Grand Central (lignes 4, 5, 6, 7, S). Bus M15, M27, M42, M50, M104. Visites guidées t.l.j. en français sur rés. ; en anglais ttes les 30 mn de 9h30 à 16h45. Entrée payante. ☎ 963.7539. www.un.org. À la fin de la visite, possibilité d'acheter des timbres-poste de l'ONU.

J. D. Rockefeller finança l'acquisition du terrain (7 ha) et 14 architectes réputés participèrent à la réalisation du bâtiment (dont le Français d'origine suisse Le Corbusier et le Brésilien Oscar Niemeyer) qui fut inauguré en 1951. Le complexe fut loin de faire l'unanimité, mais il a, depuis, servi de modèle à bon nombre de bâtiments administratifs à travers le monde.

● **Salle de l'Assemblée générale****. Tous les États membres y sont représentés par une voix. On y débat des problèmes internationaux (sida, effet de serre...).

● **Le Conseil de sécurité**** (dans le Conference Building). C'est l'organe exécutif sur le plan politique. Il est composé de cinq membres permanents (Grande-Bretagne, France, États-Unis, Russie, Chine) et de dix membres non permanents, élus pour deux ans.

Les jardins sont ornés de **sculptures*** : *Single Form*, de B. Hepworth (1963) ; *Transformons les épées en charrues*, de E. Vuchetich (1958) ; ***Reclining Figure*****, de H. Moore (1982), à l'entrée ; ♥ ***Non-Violence***, de K. F. Reutersward (1988) et, enfin, *La Cloche de la paix*, fondue avec les monnaies de 60 nations. ●

13 | De Times Square au Rockefeller Center★★

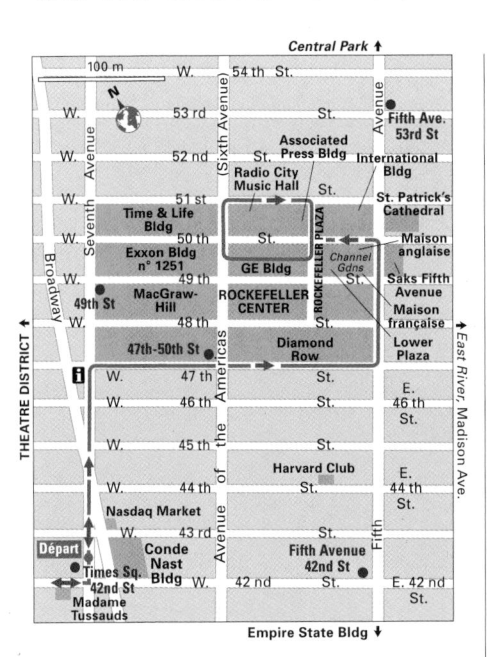

Le triangle qui s'inscrit entre 42nd et 43rd Sts porte le nom du célèbre *New York Times (p. 40)* qui s'y installa en 1904. Times Square est aujourd'hui le secteur le plus touristique de la ville, avec ses panneaux publicitaires géants, emblématiques, qui l'habillent de lumière.

♥ Times Square★★

À l'intersection de Broadway et de 7th Ave. M° 42nd St./Times Sq. (lignes 1, 2, 3, 9, N, R, S). Bus M6, M7, M10, M20, M27, M104. www.timessquarenyc.org.

Départ : Times Sq.

bon à savoir

Ces dernières années, la sécurité s'est nettement améliorée, mais Times Square demeure le terrain de jeu privilégié des pickpockets. Restez vigilant notamment le soir : les avenues situées derrière Broadway (à partir de 8th Ave.) sont peu sûres la nuit. Dirigez-vous plutôt en sens inverse, vers 5th Ave.

C'est à partir de cette place en triangle que le quartier s'est développé. L'inauguration de **l'immeuble du *New York Times*** (1 Times Sq., 7th Ave., entre 42nd et 43rd Sts) le 31 décembre 1904 fut célébrée par un mémorable feu d'artifice. Le célèbre journal a quitté les lieux en 1966 *(p. 35)*. Les immeubles disparaissent tout entiers sous les *billboards*, ces immenses panneaux publicitaires qui créent une vibrante débauche de lumières ; les news et la météo défilent à 50 km/h sur l'ancien immeuble du *New York Times*...

Empruntez W42nd St. vers l'est si vous souhaitez visiter Madame Tussaud's. Prenez 7th Ave. jusqu'à W47th St. pour rejoindre la « rue des Diamantaires ». Vous passerez près du Times Sq. Visitors' Center (1560 Broadway, entre W46th et 47th Sts), le point de départ pour des visites guidées du quartier des théâtres.

Diamond Row*

W47th St., entre 6th et 5th Aves. M° 47th/50th Sts (lignes B, D, F, Q), 49th St. (lignes N, R). Bus M1 à M7, M18, M27, M32, M50. Rens. ☎ 332.6868.

Les vitrines des bijouteries se succèdent sur ce bloc appelé aussi « **rue des Diamantaires** ». Cette rue est née dans les années 1930, lorsque les diamantaires juifs chassés d'Anvers et d'Amsterdam par l'Allemagne nazie se réfugièrent aux États-Unis. La plupart des boutiques sont tenues par des juifs orthodoxes. N'hésitez pas à vous faire conseiller et à marchander !

Continuez sur W47th St. et prenez 5th Ave. vers le nord.

Rockefeller Center**

Entre W47th St. (S) et 51st St. (N), 7th Ave. (O) et 5th Ave. (E). Entrée principale : Rockefeller Plaza, entre 49th et 50th Sts. M° 47th/50th Sts (lignes B, D, F, Q). Bus M1 à M5, M18, M27, M32, M50. www.rockefellercenter.com. Visites guidées en anglais lun.-sam. 10 h-17 h, dim. jusqu'à 16 h toutes les heures. Départ : NBC, Experience Store ☎ 664.7174, durée 1 h 15.

Ce complexe commercial et culturel (1931-1939) est l'une des plus belles réalisations d'urbanisme Art déco à New York. Quelque 12 immeubles classés (plus quelques autres plus récents) abritent bureaux, commerces, restaurants, cafés et salles de spectacles, reliés par un labyrinthe de couloirs souterrains.

En 1928, J. D. Rockefeller loua le site dans l'intention d'y faire construire un opéra. Le krach de 1929 mit fin à ce projet, et les investisseurs se retirèrent. Mais Rockefeller devait honorer le bail, qui courait jusqu'en 2015. Par chance, la Radio Corporation of America (RCA) décida de s'y implanter, attirant d'autres investisseurs comme Roxy Rothafel et son Radio City Music Hall. Parmi les architectes choisis, on retint le nom de Raymond Hood, l'un des maîtres du style Art déco aux États-Unis : le calcaire de l'Indiana donne son unité à l'ensemble. Les figures allégoriques classiques sont mêlées aux motifs « zigzag » et primitivistes. L'iconographie exalte, parfois un peu pesamment, l'idéal de l'Amérique.

Rockefeller Plaza*

La **Lower Plaza***, ornée de drapeaux, est une terrasse en plein air très animée, qui se transforme en ♥ **patinoire** l'hiver et que semble réchauffer le feu ardent d'un ***Prométhée*** de bronze doré, de Paul Manship *(photo p. 109)*. Il mesure 6 m de haut et pèse 8 t. À Noël, on s'y rassemble au pied d'un sapin illuminé de 30 m de haut, entouré d'archanges de lumière. Les tours du Rockefeller Center s'ordonnent autour de cette place, en une gradation visuellement très réussie.

GE Building*

30 Rockefeller Plaza. Demandez un plan du r.-d.-c. au bureau d'accueil. Restaurant Rainbow Room au 65e étage ☎ 632.5000.

Cet immeuble de 70 étages sur 260 m de hauteur est le point d'orgue de l'ensemble. Contemplez la magnifique **sculpture murale** de L. Lawrie, *La Sagesse et La Connaissance*, au-dessus de l'entrée. Dans le grand hall, les **peintures murales*** de J.-M. Sert ont remplacé celles du peintre mexicain Diego Rivera, jugées subversives, Lénine étant un peu trop mis en valeur dans ce temple du capitalisme. Des ascenseurs ultrarapides mènent à la **Rainbow Room*** du 65e étage. Enfin, au 70e étage,

▶ À dr., de haut en bas, et de g. à dr. :

News, un imposant relief d'I. Noguchi en acier inoxydable et pesant 10 t, pare la façade de l'Associated Press Building, 50 Rockefeller Plaza. Il évoque les métiers de la presse.

L'ornementation Art déco utilise une grande variété de matériaux : marbre, terre cuite, plâtre moulé et coloré, verre gravé, vitrail, carrelage, mosaïque... Les sculptures murales qui rehaussent l'entrée des édifices s'inspirent de l'Antiquité grecque, égyptienne ou assyrienne, mais aussi des arts primitifs et de l'architecture maya.

Atlas (1937), de Lee Lawrie. À l'entrée de l'International Building, il brandit une sphère armillaire ornée des signes du zodiaque, et dont l'axe est orienté en direction de l'étoile Polaire. C'est l'une des 12 œuvres qu'il réalisa pour le Rockefeller Center.

Prométhée, en bronze doré, au centre de la Lower Plaza. Paul Manship, qui étudia à l'Académie américaine de Rome, fut l'un des artistes les plus sollicités dans les années 1930.

l'**observatoire Top of the Rock** offre une ♥ **vue**** stupéfiante *(ouv. t.l.j. 8 h 30-minuit, dernier accès à 23 h, entrée à 15 $ ☎ 698.2000).*

Traversez le bâtiment (ou descendez 50th St. s'il est fermé), sortez sur 6th Ave., que vous prendrez à dr. pour rejoindre le Radio City Music Hall.

Avenue of the Americas (6th Avenue)

De TriBeCa à Central Park, c'est une artère majestueuse où flottent les couleurs de l'Union américaine. 6th Ave. est particulièrement belle au niveau du Rockefeller Center, qu'elle traverse ; les gratte-ciel qui s'y succèdent en rangs serrés forment un canyon urbain : voir l'**Exxon Building***, au n° 1251 (220 m, 1971), le **Time & Life Building**, au n° 1271 (180 m, 1959) et le **CBS Building** (W51st et 52nd Sts).

♥ Radio City Music Hall*

1260 6th Ave., entre 50th et 51st Sts. Visites guidées uniquement en anglais, ttes les 30 à 45 mn lun.-sam. 10 h-17 h, dim. 11 h-17 h ☎ 632.4041 pour les spectacles. Entrée payante ☎ 247.4777 et 307.7171.

Ce fut longtemps le plus grand **cinéma** du monde, avec 5 882 places et une scène de 33 m d'ouverture. Clark Gable, Arturo Toscanini et Charlie Chaplin étaient présents à son inauguration en 1932. Aujourd'hui, on y présente des **comédies musicales** *(p. 165)*, des opéras et des concerts de célébrités du moment.

• **Le bâtiment**. L'extérieur est orné de médaillons sculptés par H. Meiere. L'intérieur, réalisé par D. Deskey, est caractéristique du début de la période dite « zigzag » et compte parmi les chefs-d'œuvre Art déco des États-Unis. La visite comprend aussi celle du magasin de costumes, de la **salle de répétition**, et du **théâtre****, équipé d'une machinerie très sophistiquée. On verra le superbe décor Art déco du **fumoir*** et des ♥ **toilettes** pour dames. •

IN EVERY ART
MORTALS

14 | Sur la 5th Avenue★★★

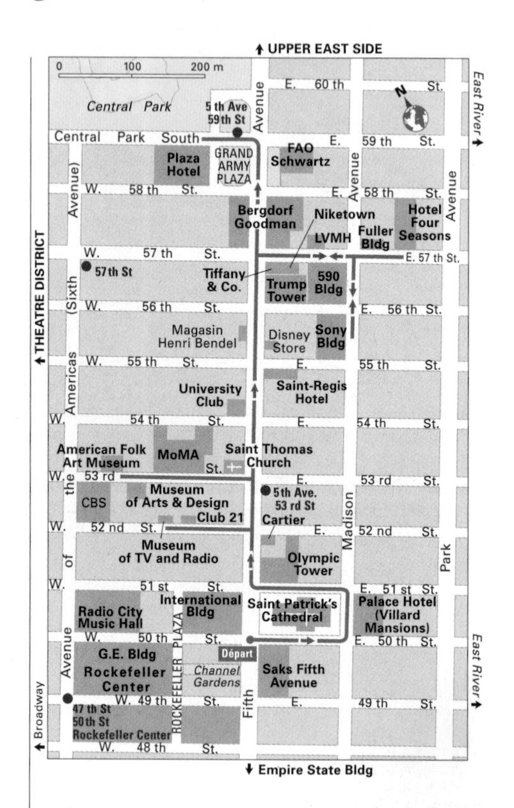

La vogue de 5th Ave., la vitrine de luxe de New York, commença dans les années 1880 quand les Whitney, les Gould, les Vanderbilt s'y firent construire de somptueux hôtels particuliers, presque tous détruits aujourd'hui *(p. 119)*. Du nord au sud, elle dessine au centre de l'île une ligne de partage des rues et organise l'espace urbain.

St Patrick's Cathedral★★

5th Ave., entre E50th et 51st Sts. M° 47th/50th Sts (lignes B, D, F, Q), 5th Ave. (ligne E). Bus M1 à M5, M27, M32, M50. Ouv. t.l.j. 7h-20h30, dim. grand-messe à 10h15. Pour les offices ☎ 753.2261.

Cernée par les tours, la plus grande cathédrale catholique du pays a presque l'air d'une chapelle, malgré ses 101 m de haut. Construite entre 1858 et 1878 par J. Renwick Jr pour la communauté irlandaise, elle se dressait bien loin, au nord du centre-ville, et ne fut inaugurée que bien plus tard, quand le quartier se peupla de riches résidents.

Sa construction nécessita des techniques et des matériaux modernes, rendant inutile l'emploi d'arcs-boutants à double volée pour supporter le poids de la voûte. L'**intérieur** est d'une belle ampleur : nef longue de 90 m, large de 33 m et haute de 34 m (2400 places assises). À voir en particulier : le **baldaquin★** de bronze orné de statues de saints et de prophètes, la **Lady Chapel** (chapelle de la Vierge) en marbre du Vermont, le **chemin de croix** en pierre de Caen (1890). Plus de la moitié des 70 vitraux ont été réalisés dans des ateliers de Chartres et d'Angleterre. Les archevêques de New York reposent dans la crypte sous l'autel. 3 millions de visiteurs s'y pressent tous les ans.

Avant de poursuivre sur 5th Ave., prenez E50th St. vers l'est jusqu'à Madison Ave. et prenez à g. pour les Villard Mansions, derniers exemples des élégantes résidences qui précédèrent les gratte-ciel dans ce quartier. Continuez sur Madison Ave. puis prenez à g. dans 51st St. pour regagner 5th Ave.

Olympic Tower

645 5th Ave. et E51st St. M° 50th St./Rockefeller Center (lignes B, D, F, Q), 5th Ave. (ligne E), 50th St. (lignes 1, 9), 49th St. (lignes N, R). Bus M1 à M7, M18, M27, M30, M31, M50.

Cette *glass box* (boîte de verre) de 51 étages (189 m), qui domine largement St Patrick's Cathedral et à laquelle elle sert de miroir, fut commanditée par Aristote Onassis. Elle est caractéristique du style international (1976 ; Skidmore, Owings & Merrill).

Départ : St Patrick's Cathedral.

bon à savoir

St Patrick est le point de départ de la fameuse ♥ Easter Parade, particulièrement photogénique. Rendez-vous également sur les lieux pour St Patrick's Day (p. 175). Attention, l'attente est longue pour assister aux messes de Noël et de Pâques...

détour
W52nd St

Un petit détour par W52nd St. vous permettra de visiter, entre autres, l'étonnant **Museum of Television and Radio.** ●

Cartier

651 5th Ave. et E52nd St.

En 1917, le joaillier français aurait acquis cet hôtel particulier, demeure du milliardaire Morton F. Plant, en échange d'un collier de perles d'un million de dollars ! C'est l'un des rares hôtels particuliers subsistant sur la 5e Avenue.

West 52nd Street

Dans les années 1930, cette rue était surnommée «**Swing Street**». On dansait le be-bop et le fox-trot dans ses boîtes de jazz (Famous Door, 3 Deuces, Onyx, etc.) animées plus tard par Dizzy Gillespie, Art Tatum, Charlie Parker ou Miles Davis. Pendant la Prohibition, on fréquentait ses nombreux *speakeasies* (bars clandestins), dont le Club 21 est l'unique survivant.

Revenez sur 5th Ave.

♥ Museum of Modern Art** (MoMA)

11 W53rd St., entre 5th et 6th Aves. M° 5th Ave./53rd St. (lignes E, V) ; 47-50th Sts/Rockefeller Center (lignes B, D, F). Bus M1, M2, M3, M4, M5, arrêt 53rd St. Ouv. sam., dim., lun., mer., jeu. 10 h 30-17 h 30, ven. 10 h 30-20 h. F. mar. Entrée 20 $ ☎ (212) 708.9400. www.moma.org et www.ps1.org.

Le musée d'Art moderne a rouvert ses portes sur la W53rd St. après deux ans d'exil dans le Queens et un lifting complet. La superficie du nouveau musée a doublé afin d'accueillir le fonds permanent, riche de plus de 150 000 œuvres d'art. Le noyau des collections provient d'un don de 235 œuvres appartenant à Lillie P. Bliss (1931), fondatrice du musée avec A. A. Rockefeller et Mrs Cornelius Sullivan. La première exposition du musée d'Art moderne eut lieu en 1929, dans le Crown Building (730 5th Ave. et W57th St.).

Les collections du musée, présentées à travers six départements, dessinent un panorama complet des mouvements artistiques qui ont marqué le XXe s., de l'impressionnisme à l'art contemporain.

Parmi les œuvres les plus célèbres :

© S. Grandadam

▲ Picasso, *Les Demoiselles d'Avignon* (1907), MoMA.

• *Les Demoiselles d'Avignon**** (1907), de Picasso. La schématisation des formes, brutales et anguleuses, évoque la sculpture ibérique et l'art nègre. Cette démarche aboutira au cubisme, dont cette toile est considérée comme le fondement.

• *La Nuit étoilée**** (juin 1889), de V. Van Gogh. Dans la touche vibrante et brutale s'expriment tous les tourments de cet artiste post-impressionniste.

shopping
Madison Avenue

Entre E57th St. et E82nd St. L'un des haut lieux du shopping new-yorkais. De grands magasins chics et les plus grands noms de la mode. ●

● ***La Danse (I)***** **(1909), de Matisse**. Cette toile est l'une des œuvres fondatrices de l'art contemporain. Les corps simplifiés jusqu'à l'épure rythment la surface du tableau en une sarabande pleine d'allégresse. C'est l'humanité dans sa condition originelle, découvrant le mouvement naturel du corps, l'espace et le son.

● **Les «Nymphéas»** (1920), de Monet**. *«Ces paysages d'eau et de reflets sont devenus une obsession»*, écrira le peintre en 1908, à propos de l'étang de Giverny dont il ne réalisera pas moins de 80 variations.

● ***L'Empire de la lumière**** **(1950), de R. Magritte**. Pour lui, la peinture n'a jamais été une fin en soi mais un moyen d'approfondir sa connaissance du monde. *«L'image est séparée de ce qu'elle montre»*, disait-il.

● ***Broadway Boogie-Woogie**** **(1942-1943), de P. Mondrian**. Exilé en Amérique (1940), celui-ci découvre à la fois le réseau serré des rues qui s'organisent en lignes horizontales et verticales et les rythmes du boogie-woogie dont on retrouve l'écho dans ce tableau.

● ***One Number 31**** **(1950), de J. Pollock**. Dans son atelier de Long Island, Pollock engageait un véritable corps à corps avec la peinture, marchant sur la toile jetée au sol, tournant autour et faisant gicler la **couleur pure** *(dripping all over)*.

● ***Campbell's Soup Cans*** **(1962), de A. Warhol**. Ancien dessinateur publicitaire, l'artiste multiplie les séries d'images pour souligner l'absence de signifiant. En 1962, la société Campbell assigne l'artiste en justice. Dix ans plus tard, Campbell fera appel à Warhol pour l'immortaliser, d'où cette nouvelle série de ***Campbell's Soup Cans***.

Revenez sur 5th Ave.

Trump Tower*

725 5th Ave. et E56th St. M° 57th St. (lignes B, Q), 5th Ave. (lignes N, R). Bus M1 à M7, M30, M31, M57, Q32.

Cette tour de 58 étages et 202 m de haut (1983; Der Scutt) porte le nom de son commanditaire, l'homme d'affaires Donald Trump, qui y vit dans un triplex.

Sophia Loren, Steven Spielberg (et naguère Michael Jackson) comptent parmi les plus célèbres locataires. Cinq étages de boutiques et un café sont disposés autour d'un **atrium*** de marbre (au 26e étage). Redescendez par l'escalator pour apprécier le luxe du hall.

Continuez sur la 5th Ave.

♥ Tiffany & Co*

727 5th Ave. et E57th St. M° 57th St. (ligne Q). Bus M1 à M7, M30, M31, M57, Q32 ☎ 755.8000. www.tiffany.com.

La plus célèbre des joailleries *(ci-contre)* fut immortalisée par le film de Blake Edwards *Diamants sur canapé* (1961), d'après le roman de Truman Capote *Breakfast at Tiffany's* (1950). N'hésitez pas à pousser la porte de ce luxueux magasin. Dans une vitrine, à gauche, vous pouvez voir le diamant jaune Tiffany, de 128 carats, taillé dans une pierre de 287,42 carats découverte en Afrique du Sud en 1878.

Prenez à dr. E57th St.

East 57th Street

Entre 5th Ave. et Madison Ave., E57th St. concentre les boutiques les plus luxueuses de New York. Les loyers y sont, dit-on, les plus élevés de la ville.

- **L'immeuble LVMH** *(19 E57th St., entre 5th Ave. et Madison Ave.; magasin Dior)*. L'architecte Christian de Portzamparc a signé le premier immeuble entièrement conçu par un Français à New York (1996-1999). Une tour de 112 m de haut et de 24 étages, tout en transparence et dédiée au luxe français. C'est selon la presse américaine *« le gratte-ciel le plus excitant construit depuis vingt ans à New York »*.
- **Sony Building** *(550 Madison Ave. et E56th St.; Sony Wonder Technology Lab ouv. mer.-sam. 10 h-18 h, jeu. jusqu'à 21 h, dim. 12 h-18 h ☎ 833.8100; www.sonywondertechlab.com)*. Cet édifice de 35 étages (1979-1984; Johnson & Burgee), en granit rose, est considéré comme le premier bâtiment postmoderne de New

histoire
La dynastie Tiffany

Jacques Tiphaine, huguenot originaire de Sedan, s'exila en 1665 à New York, où il s'établit comme orfèvre. En 1837, on trouve trace de l'un de ses descendants, dont le nom s'est anglicisé: **Charles Tiffany,** faisant commerce de bijoux fantaisie. Lors d'un voyage à Paris en 1848, son associé John Young eut la bonne idée d'acheter des bijoux de grande qualité à des aristocrates pressés de fuir la révolution. Ces bijoux attirèrent une riche clientèle et le magasin (fondé en 1837) prit rapidement de l'importance. En 1883, son fils Louis Comfort Tiffany (1848-1933) réalisa la décoration de la salle à manger d'apparat de la Maison-Blanche. Dans les années 1890, il fit breveter un verre opalescent de son invention sous le nom de « Favrile » (fait à la main) : les couches de couleur se fondent avec subtilité les unes dans les autres ; les reflets, les irrégularités du matériau et l'opalescence créent un jeu abstrait de lignes très pures qui renvoie parfois à l'art oriental et à l'art japonais dont il s'inspirait. ●

shopping
Niketown*

Ce temple de la chaussure de sport (6 E57th St., entre 5th Ave. et Madison Ave.) est très étonnant : toutes les 15 mn, l'énorme puits central se transforme en salle de cinéma – les plus grands événements sportifs de l'histoire défilent dans l'obscurité. ●

people
Ils ont vécu dans le quartier...

James Dean, 19 W68th St. **Marlene Dietrich,** 993 Park Avenue. **Greta Garbo,** 450 E52nd St. **Marilyn Monroe,** 444 E57th St. **Jackie Kennedy Onassis,** 1040 5th Ave. ●

York, avec son fronton inspiré par le style anglais Chippendale (XVIIIe s.). L'arche d'entrée est haute de 24 m. À l'intérieur, les enfants ne manqueront pas le **Sony Wonder Technology Lab*** *(entrée libre)*, la vitrine des dernières technologies mises au point par la firme, qui propose un parcours interactif auquel on accède par un ascenseur de verre.

Retournez sur 57th St.

• **Fuller Building*** *(41 E57th St. et Madison Ave.)*. Un très bel immeuble de style Art déco (1929). Au-dessus de l'entrée, un relief d'Elie Nadelman figurant des ouvriers sur un chantier de construction. Dans le **hall***, les portes en bronze de l'ascenseur racontent les étapes de la construction ; sur la mosaïque du sol figure également le Flatiron Building *(p. 95)*, autre propriété de la Fuller Company.

• **Four Seasons Hotel** *(57 E57th St., entre Madison et Park Aves)*. Cet hôtel de luxe a été conçu par l'architecte sino-américain I. Ming Pei, que la pyramide du Louvre à Paris a rendu célèbre.

Revenez sur 5th Ave. et montez jusqu'à E59th St.

FAO Schwartz

5th Ave. et E59th St. M° 59th-60th Sts/5th Ave. (lignes N, R).

Un grand magasin situé dans l'ancien General Motors Building, qui regorge de jouets chics et rares. À voir.

Prenez à g. Central Park South. ●

Uptown

© D. Lefranc/Explorer/Hoa Qui

Uptown (la ville haute) a deux visages. Les quartiers résidentiels qui encadrent Central Park, l'Upper East Side, sont les plus luxueux. Les prix des *penthouses* y défient l'imagination. Les hectares boisés parsemés de lacs et de rochers rappellent aux citadins que la nature existe. Au nord du parc, au-delà de l'Université de Columbia, la ville change. Les altières façades de la 5th Ave. cèdent la place à des terrains vagues, des immeubles de brique defraîchie, des rues à l'aspect chaotique, où vivent les laissés-pour-compte.

▲ Deux icônes du West Side : John Lennon et Yoko Ono.

15 | Upper East Side★★★

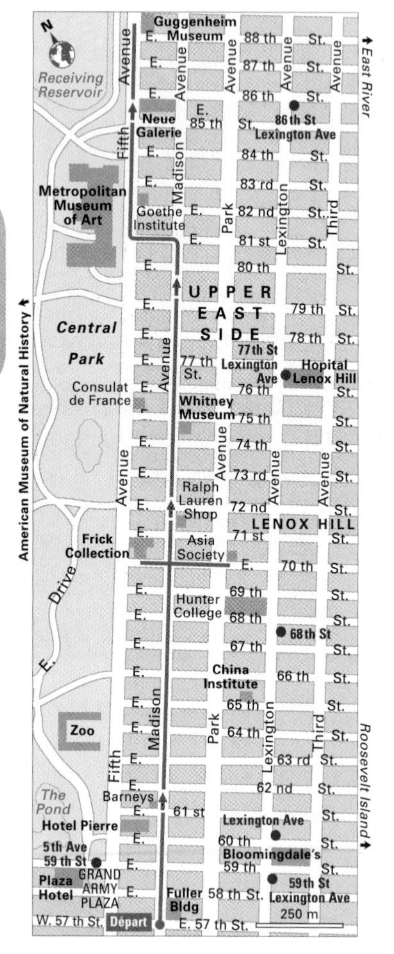

Derrière leurs façades austères, les immeubles de 5th Ave. et de Park Ave. cachent de magnifiques *penthouses* (appartements de grand standing). Entre E70th et E104th Sts, 5th Ave. prend le nom de Museum Mile, « l'avenue des Musées ». Lexington Ave. (3rd Ave.) marque la frontière entre l'East Side chic et les quartiers plus populaires qui regardent l'East River. Au niveau de 110th St., on atteint East Harlem, le quartier hispanique.

|| Madison Avenue★★ et Museum Mile

Entre E57th et E80th Sts, Madison Ave. est un haut lieu du ♥ **shopping** new-yorkais, chic et cher. Les plus grands noms de la mode y ont pignon sur rue : Armani, Calvin Klein, Hermès... Madison Ave. a préservé de belles maisons de ville en *brownstone,* comme celle qui abrite la boutique Polo Ralph Lauren.

|| ♥ Frick Collection★★★

1 E70th St., entre Madison et 5th Aves. M° 68th St./Lexington Ave. (ligne 6). Bus M1 à M4, M30, M72. Ouv. mar.-sam. 10h-18h, dim. 13h-18h, f. lun. et j.f. Les enfants de moins de 10 ans ne sont pas acceptés. Entrée payante (12 $). Durée visite : env. 1h30-2h ☎ (212) 288.0700.www.frickcollection.org.

La Frick Collection occupe l'ancienne demeure de l'industriel Henry Clay Frick (1849-1919), qui fit fortune dans l'acier et le charbon. Toiles de grands maîtres, mobilier français, porcelaines du XVIIIe s., émaux de Limoges, bronzes de la Renaissance, etc. sont exposés dans les 14 pièces du rez-de-chaussée. La collection possède trois toiles de **Vermeer**★★★ sur les 35 parvenues jusqu'à nous. Parmi les œuvres majeures représentées :

- *Portrait d'homme*★★ (v. 1470) de **H. Memling**, l'un des premiers portraits avec paysage du maître.
- *Vierge à l'enfant*★ (v. 1441-1443) de **J. Van Eyck**, achevée par l'atelier du peintre après sa mort.
- *Mrs Elliott*★★ (v. 1782) de **T. Gainsborough**, un portrait représentant la maîtresse du prince de Galles, Grace Dalrymple.
- *Sir Thomas More*★★★ (1527) de **H. Holbein le Jeune**, portrait de l'humaniste et lord chancelier d'Henri VIII.
- *L'Homme à la toque rouge*★★ (v. 1516) **du Titien**, œuvre de jeunesse qui dénote l'influence de son maître Giorgione, et *Portrait de Pietro Aretino*★★ (v. 1548-1551).
- *Mortlake Terrace*★★ (1826) de **J. Turner**, qui a peint la propriété de son bienfaiteur, William Moffat, dans la lumière d'un matin d'été, au bord de la Tamise .
- *Soldat et jeune fille riant*★★★ (v. 1655-1660) et *Dame et sa servante*★★ (v. 1665-1670) de **Vermeer**, merveilleuses ♥ **scènes de genre** où le temps paraît suspendu et où personnages et objets, éclairés sur la gauche du tableau, ont cette même présence mystérieuse et fascinante.
- *Autoportrait*★★★ (1658) de **Rembrandt**, où l'artiste se montre richement vêtu alors qu'il affrontait à cette époque de graves difficultés financières.

Poursuivez sur Madison Ave. jusqu'à E75th St.

Whitney Museum of American Art★★

945 Madison Ave. et E75th St. M° 77th St./Lexington Ave. (ligne 6), assez éloigné. Bus M1 à M4, M30, M72. Ouv. mer., jeu., sam., dim. 11h-18h, ven. 13h-21h, f. lun. Adultes : 12 $ ☎ 570.3600. www.whitney.org. Durée visite : env. 1h30 ☎ 570.3641. Possibilités de visites guidées gratuites en anglais. Librairie ☎ 606.0200.

Ce bâtiment (1966) a été réalisé par Marcel Breuer (1902-1981), l'un des maîtres de l'école du Bauhaus. Consacré à

Départ : E57th St. et Madison Ave.

urbanisme

« L'avenue des Millionnaires »

En 1896, la section de 5th Ave. située entre 61st et 91st Sts fut baptisée « Millionaires' Row » (l'avenue des Millionnaires). De **riches industriels** comptèrent parmi les premiers résidents. Leurs **hôtels particuliers**, de style Beaux-Arts ou Queen Anne, rivalisaient de luxe et d'élégance. Le premier immeuble d'appartements fit son apparition côté est au n° 998 5th Ave. Malgré le luxe des installations, la haute société conservatrice rechigna longtemps à partager son toit, pour ne pas cohabiter comme le faisaient les pauvres dans les *tenements*. La mode fut définitivement lancée quand les Vanderbilt, les Morton et les Guggenheim emménagèrent dans l'une de ces copropriétés. Après la Première Guerre mondiale, l'Upper East Side avait changé de physionomie. Les rares hôtels particuliers ayant survécu à cette transformation abritent aujourd'hui de prestigieux **musées**, comme la Frick Collection *(ci-contre)*, dont la visite permet d'apprécier l'opulence du décor.

peinture

Edward Hopper, peintre de l'Amérique urbaine

À l'heure du triomphe de l'abstraction, Edward Hopper (1882-1967) reste fidèle à la figuration, goût hérité de son métier de dessinateur publicitaire. Il promène un faisceau de lumière crue à travers les villes, s'attardant la nuit dans les lieux publics (bars, cinémas, stations-service, bureaux, etc.) sur des êtres anonymes aux visages figés. Le silence de cet univers est renforcé par la présence presque systématique d'une fenêtre-écran qui s'interpose entre le personnage et l'extérieur ou entre le spectateur et le personnage, coupé des émotions humaines. Fascinante par son inquiétante étrangeté, l'œuvre de Hopper semble être la quintessence de l'Amérique urbaine, en proie aux effets pervers de nos sociétés modernes que sont le désœuvrement, la solitude et l'incommunicabilité.

l'art américain du XXe s., le musée a été fondé en 1930 par Gertrude Vanderbilt Whitney, milliardaire et sculpteur à Greenwich Village. Son fonds personnel, riche de quelque 600 pièces, fut complété par une collection consacrée à ♥ **Edward Hopper**** *(ci-contre)* parmi les plus importantes au monde. Les expositions temporaires d'**art contemporain** (installations, *video art*, art conceptuel, art minimal…) sont très novatrices. Tous les deux ans, au printemps, l'exposition **Whitney Biennal** présente les dernières tendances de l'art américain. Parmi les œuvres les plus importantes du musée : **The Brooklyn Bridge**** de Joseph Stella (1939).

Remontez Madison Ave. jusqu'à E81st St., puis tournez à g. pour rejoindre 5th Ave.

|| Metropolitan Museum of Art*** (MET)

1000 5th Ave. et E82nd St. M° 86th St./Lexington Ave. (lignes 4, 5, 6). Bus M1 à M4, M79, M86. Ouv. mar.-jeu., dim. 9 h 30-17 h 15, ven., sam. jusqu'à 20 h 45, f. lun. **Billets** : billet couplé avec The Cloisters si visite dans la même journée. Donation suggérée : 12 $. Audioguides. Visites guidées gratuites en français mar., mer. et ven. à 11 h ☎ 570.3711. **Cafétéria et bar** au sous-sol (accès par le département d'art médiéval) et café-terrasse sur le toit, le Great Hall Balcony Bar (ouv. mai-oct. ven.-sam. 16 h-20 h 30 ; concerts à 17 h et 20 h). Boutiques remarquables ☎ 879.5500. www.metmuseum.org.

Le MET est né d'une initiative privée : en 1866, au cours d'un dîner au bois de Boulogne à Paris, un groupe d'artistes et de mécènes philanthropes décide de créer en Amérique un musée capable de rivaliser avec les plus grands musées européens. Le MET verra le jour en 1880, en bordure de Central Park, dans un bâtiment de style néogothique, dont il reste peu de chose aujourd'hui. C'est désormais l'un des plus grands musées au monde. Voir en particulier :

● ♥ **Le temple de Dendur**** *(Sackler Wing)*, offert aux États-Unis par le gouvernement égyptien en 1965, pour sa participation au sauvetage des monuments nubiens menacés par la montée des eaux du lac Nasser après la construction du barrage d'Assouan.

● ♥ **Le salon de la maison Little**** (1915), *Period Room* réalisée par **F. L. Wright** (1867-1959) pour la résidence secondaire de Francis W. Little, dans le Minnesota (1912-1914). L'influence de l'art japonais y est manifeste dans la pureté des lignes et l'utilisation du bois. Voir aussi la devanture du **n° 3 quai Bourbon*** (Paris); le **grand salon de l'hôtel de Tessé**** (Paris, v. 1772) et le **salon de l'hôtel de Cabris*** (Grasse, v. 1775).

● ♥ **Iris and Gerald Cantor Roof Garden,** terrasse située sur le toit de l'aile Acheson Wallace accueillant des sculptures contemporaines et offrant une superbe **vue***** sur Central Park.

● **Le** ♥ **Jan Mitchell Treasury****, ensemble de 250 objets en or datant de l'Amérique précolombienne.

● ♥ ***Portrait de la princesse de Broglie***** **(1851-1853) de J.-A.-D. Ingres**, superbe exemple des portraits aristocratiques du XIXe s.

● ♥ ***Femme à la cruche****** **(v. 1662) de Vermeer**, qui passe pour une allégorie de la pureté virginale; ***Étude de jeune fille**** **(v. 1665-1667)**, l'un des quatre portraits peints par l'artiste; l'***Allégorie de la foi***** **(v. 1671-1674)** une œuvre tardive, atypique et presque académique. Peut-être s'agit-il d'une commande jésuite. On sait que Vermeer se convertit au catholicisme afin d'épouser Catharina Bolnes.

● ***La Diseuse de bonne aventure****** **(v. 1630) de Georges de La Tour**, l'un des rares tableaux diurnes du peintre où l'analyse psychologique s'exprime dans la gestuelle que dément le jeu des regards.

● ♥ ***La Terrasse à Sainte-Adresse****** **(1867) de C. Monet**, une composition symétrique et presque classique encadrant les personnages figés dans un instant d'éternité. Monet avait alors 27 ans.

● ♥ ***Les Cyprès**** **(1889) de V. Van Gogh**, qui comparait le cyprès à un obélisque égyptien.

● ♥ ***Saint Éloi***** (1449) de **P. Christus**, où le **patron des orfèvres** est représenté dans son atelier; ce tableau est un précieux témoignage sur ce métier d'art.

bon à savoir

Allez au MET à l'ouverture, pendant l'heure du déjeuner ou en nocturne et évitez le w.-e.; prévoyez si possible deux demi-journées de visite.

|| ♥ Neue Galerie*

1048 5th Ave. et E86th St. Entrée principale sur E86th St. M° 86th St./ Lexington Ave. (lignes 4, 5, 6). Bus M1 à M4, M86. Ouv. sam.-lun. 11h-18h. Entrée: 15 $. Enfants de moins de 12 ans non admis. Durée visite: env. 1h ☎ 628.6200, www.neuegalerie.org. Café Sabarski ☎ 288.0665.

Aménagé dans un **hôtel particulier*** de style Beaux-Arts (1914; Carrère & Hastings), ce musée a été créé par l'héritier de l'empire de cosmétiques Estée Lauder. Il doit son nom à la Neue Galerie de Vienne, fondée en 1923. L'intérieur est un bijou dédié aux **arts décoratifs viennois** *(1er ét.)* et **allemands** *(2e ét.)*. Vous voici revenu entre 1890 et 1940. Parmi les œuvres exposées par roulement: ***Le Portrait de la baronne Élisabeth Bachofen-Echt**** (v. 1914) par Gustav Klimt *(1er ét.)*, des œuvres de Klimt, Egon Schiele (1890-1918), Max Beckmann (1884-1950) et Georg Grosz (1893-1959), entre autres.

bon à savoir

Gagnez par l'ascenseur le dernier étage du musée Guggenheim et descendez par la rampe hélicoïdale en visitant les collections Thannhauser et Kandinsky.

|| Solomon R. Guggenheim Museum**

1071 5th Ave. et E89th St. M° 86th St./Lexington Ave. (lignes 4, 5, 6). Bus M1 à M4. Ouv. sam.-mer. 10h-17h45, ven. jusqu'à 20h, f. jeu. Durée visite: env. 1h30. Entrée 15 $. ☎ 423.3500, www.guggenheim.org.

Le bâtiment marque l'apothéose de la carrière du grand architecte américain Frank Lloyd Wright, qui signa ici son plus beau bâtiment public (1959). Sa célèbre ♥ **architecture** rappelle une **ziggourat** (temple des anciens Babyloniens, en forme de pyramide à étages) inversée. Ses collections d'art moderne sont tout aussi exceptionnelles. À l'intérieur, le long des parois de cet «œuf» évidé, baigné d'une lumière naturelle, court une **rampe hélicoïdale** dévolue à des expositions temporaires, plutôt minimalistes. Dans **la collection Thannhauser****, on remarquera tout particulièrement (annexe, niv. 2):

- ***Montagnes à Saint-Rémy**** **(juillet 1889) de V. Van Gogh**, réalisées pendant la période de Saint-Rémy-de-Provence, où l'artiste est hospitalisé en asile psychiatrique, avant son installation à Auvers-sur-Oise.

© D. Lefranc/Hoa Qui

▲ La spectaculaire façade du musée Guggenheim, en forme de cône renversé.

• ***Le Moulin de la Galette**** **(1900) de P. Picasso**, première œuvre parisienne, le peintre a 19 ans, et vient tout juste d'arriver de Barcelone. Le moulin de la Galette se trouvait à deux pas de son atelier, à Montmartre. Voir aussi le ***Portrait de la femme aux cheveux blonds**** **(1931)** que lui inspira sa nouvelle maîtresse de 17 ans, Marie-Thérèse Walter.

Et dans **la collection Kandinsky****:

• ♥ ***Blue Mountain*** **(1908-1909)**, où apparaît la figure récurrente du cavalier bleu *(Blaue Reiter)*, issue de l'imagerie folklorique russe.

• ***Black Lines**** (1913), l'une des premières représentations « non objectives » de Kandinsky. •

16 | ♥ Central Park★★

© D. Lefranc/Hoa Qui

▲ Central Park est le terrain privilégié des patineurs les jours d'hiver…

Au début du XIXe s., ce site sauvage et rocailleux se trouvait à une certaine distance du bas Manhattan. Des familles irlandaises y vivaient dans des baraques de planches. Les riches New-Yorkais venaient s'y promener le dimanche. Bientôt s'élevèrent de coquets pavillons, prélude à une importante migration des familles aisées. En 1850, tandis que le lotissement du quartier allait bon train, l'idée de la création d'un parc à l'endroit le plus verdoyant de Manhattan s'imposa. Les travaux de terrassement commencèrent en 1857. Deux architectes paysagistes consacrèrent vingt ans de leur vie à ce lopin de terre marécageux. Aujourd'hui, avec ses 260 000 arbres, le parc s'étend sur 340 ha, soit 6 % de la superficie de l'île (tour du parc : 6 miles ; 25 millions de visiteurs par an).

Central Park Wildlife Center*

Entre E63rd et E66th Sts. Ouv. avr.-oct., lun.-ven. 10 h-17 h, w.-e. 10 h-17 h 30 ; nov.-mars 10 h-16 h 30. Entrée payante ☎ 439.6500.

Le zoo abrite **500 animaux** répartis dans des espaces reconstituant trois zones climatiques. On peut ainsi observer les animaux **dans leurs milieux naturels,** tels les singes et les oiseaux dans une mini-forêt tropicale.

The Dairy*

Au niveau de E65th St., entre le zoo et le carrousel. Ouv. mar.-dim. 10 h-17 h. ☎ 794.6564. Entrée libre.

Construit en 1870, ce bâtiment de style victorien abritait à l'origine une laiterie. Il accueille désormais le **Visitors' Center**. À l'intérieur, petite exposition permanente consacrée à la flore et la faune du parc et librairie.

Gagnez le Mall, une longue allée (entre E66th et E72nd Sts) qui mène à la terrasse de la fontaine de Bethesda.

Strawberry Fields

W72nd St. et Central Park West (en face du Dakota Building).

Ce jardin a été baptisé du titre des Beatles *Stawberry Fields* par Yoko Ono (qui le finança), en hommage à son mari, **John Lennon**. Le mot « *Imagine* » s'inscrit en outre sur un ♥ **pavement de mosaïque** à l'italienne.

Longez le lac sur la dr. pour gagner Conservatory Pond.

Conservatory Pond

Au niveau de E74th St.

Des courses de bateaux miniatures se déroulent sur cet étang le samedi. À côté se dresse la ♥ **statue d'*Alice in Wonderland*** (*Alice au pays des merveilles*, 1959) et celle de l'écrivain Hans Christian Andersen (1956).

Empruntez le pont (Bow Bridge) pour accéder au Ramble (un sous-bois isolé : évitez de vous y promener seul) et gagner le Belvedere Castle (côté ouest du parc), plus facilement accessible par l'Upper West Side (p. 128). Ce dernier abrite le ***Henry Luce Nature Observatory****. De la terrasse de ce*

pratique

Entre Central Park South (S) et 110th St. (N), 5th Ave. (E) et Central Park West (O). Ouv. t.l.j. aube-minuit. Il existe 18 entrées. **Accès principal :** Grand Army Plaza et 5th Ave. M° 5th Ave./59th St. (lignes N, R). Les bus M1 à M4 desservent les entrées côté E (remontent Madison Ave. et descendent 5th Ave.), M5 à M7, M10, M19, M30, M32, M66, M72, M79, M86 desservent l'entrée au niveau de E59th St.

Central Park Police ☎ 570.4820 ou 911 (postes d'urgence dans le parc). www.centralpark.org.

Départ : longer l'étang aux oiseaux (The Pond) pour gagner le zoo. Plans circuit p. 126-127.

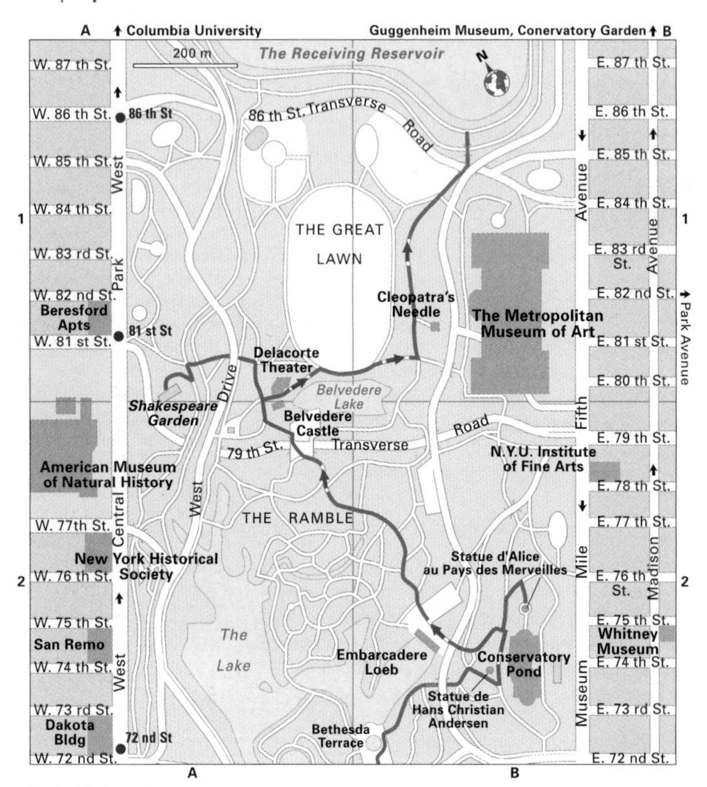

Central Park nord

bon à savoir

Les concerts estivaux du Metropolitan Opera et du New York Philharmonic sur Great Lawn sont gratuits.

dernier, vue★★ très étendue sur le parc. Dirigez-vous vers l'est du parc en longeant le Great Lawn, la « grande pelouse ».

|| Great Lawn

L'été, ce terrain de base-ball et de football américain accueille des **concerts** (jusqu'à 500 000 personnes). Mais attention, le nord du parc est assez désert. Évitez

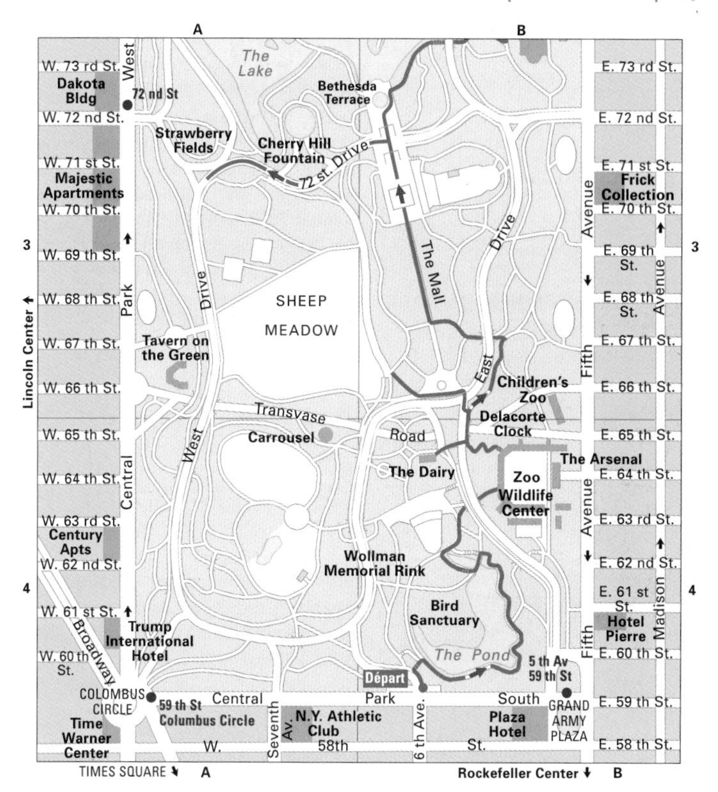

Central Park sud

de le traverser la nuit. Regardez les réverbères (ils sont numérotés) pour vous repérer. Les deux premiers chiffres signalent la rue la plus proche (si les deux premiers chiffres sont 72, vous êtes à la hauteur de 72nd St.).

Continuez vers le nord du parc, où se trouve le Receiving Reservoir. Vous pourrez gagner le MET (p. 120) en passant près de Cleopatra's Needle★ (l'aiguille de Cléopâtre).

une pause ?
Jazz ou classique ?

Pour boire un verre en écoutant du jazz ou de la musique classique : Sweet Feast Café, Bethesda Terrace, Loeb Boathouse (à Embarcadere Loeb).

17 | Upper West Side*

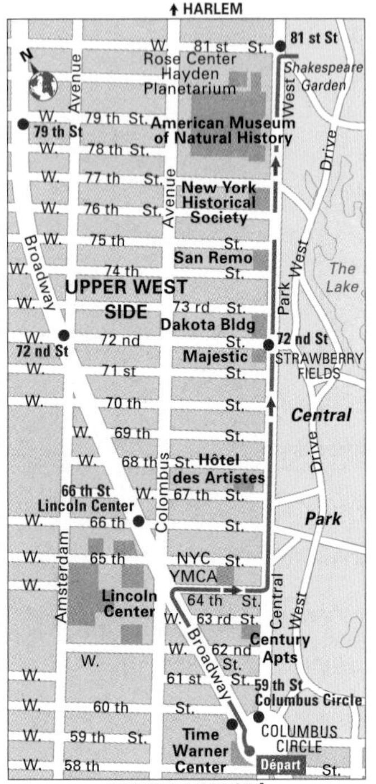

Départ : Time Warner Center.

Dans les années 1880, tandis que les hôtels particuliers, puis les immeubles d'appartements, se multipliaient côté est *(p. 118)*, la frange ouest du parc conservait son aspect rural. Aujourd'hui, l'avenue Central Park West est l'un des secteurs les plus prestigieux, où les appartements, très prisés par les stars, atteignent des prix astronomiques. Derrière cette vitrine dorée, Columbus Ave. et Broadway, plus populaires, regorgent de restaurants et de bars sympathiques.

|| Time Warner Center*

10 Columbus Circle.

Un nouveau complexe architectural (David Childs, 2004) flanqué de deux tours jumelles futuristes (230 m), nouveau point de repère dans l'Upper West Side. Sur plusieurs étages, centre commercial et supermarché (sous-sol), un palace et des restaurants gastronomiques ; le tout destiné à une clientèle haut de gamme. La culture n'est pas en reste avec le Jazz at Lincoln Center installé là depuis peu. Belle **vue**** sur Central Park depuis la mezzanine.

|| Lincoln Center*

70 Lincoln Plaza, entrées sur Broadway, entre W62nd et W66th Sts et entre Columbus et Amsterdam Aves. M° 66th St./Lincoln Center (lignes 1, 9). Bus M5, M7, M10, M11, M20, M66, M104, M194. **Visites guidées**** en anglais du Met, de l'Avery Fisher Hall et du New York State Theater et parfois possibilité d'assister à une répétition : t.l.j. ttes les 2 heures de 10 h 30 à 16 h 30 (durée 1 h) ☎ 875.5350. Billets à partir de 25 $ ☎ 362.6000. www.lincolncenter.org.

Premier complexe culturel (dédié à la musique, au théâtre et à la danse) des États-Unis, le Lincoln Center for the Performing Arts fut créé à l'instigation de

John D. Rockefeller, à l'emplacement d'un quartier déshérité qu'évoque la célèbre comédie musicale *West Side Story* (Robert Wise, 1961). Malgré un budget élevé et la participation d'architectes réputés, l'esthétique du Lincoln Center est assez décevante. En revanche, sa fréquentation ne cesse d'augmenter, ce qui est somme toute l'essentiel. Cet ensemble de sept bâtiments regroupe 14 salles de spectacles totalisant 13 666 places.

● **Metropolitan Opera House (Met)*** *(sur Columbus Ave., entre 62nd et 65th Sts; ouv. lun.-sam. 10h-20h, dim. 12h-18h ☎ 362.6000; visites guidées* backstage*: rés. au ☎ 875.5350).* Au centre du complexe, le célèbre Met (1966; Harrison & Abramovitz) accueille les compagnies de danse **Metropolitan Opera Company** et **American Ballet Theater** (ABT).

La **façade** de marbre est percée de cinq hautes arcades vitrées. Le grand hall est décoré de deux **peintures murales*** de Chagall: *Les Sources de la musique* et *Le Triomphe de la musique*. La salle de spectacles peut accueillir 3 788 personnes. Belle **vue** sur le parvis depuis le café du Met.

● **Juilliard School of Music** *(144 W66th St., entre Broadway et Amsterdam Ave. ☎ 799.5000).* L'une des meilleures écoles de musique du monde, où l'on enseigne aussi la danse et le théâtre. On peut assister gratuitement à des récitals donnés par les élèves et les enseignants.

Traversez Broadway et prenez en face W64th St. en direction de Central Park.

Central Park West**

M° 59th St./Columbus Circle (lignes 1, 9, A, B, C, D), 66th St./Lincoln Center (ligne 1, 9). Bus M5, M7, M10, M20, M66, M72, M104.

Cette avenue majestueuse aligne ses façades et ses tours imposantes à la lisière de Central Park, côté ouest. Lotie bien après la 5th Ave. côté est, Central Park West a longtemps conservé un aspect rural. Moins guindée, plus artiste, elle a la préférence des stars.

bon à savoir

N'hésitez pas à tenter votre chance pour acheter des places pour une représentation au Lincoln Center le jour même, les salles sont vastes et pas toujours remplies.

♥ Dakota Building*

1 W72nd St. et Central Park West.

C'est l'**adresse la plus prestigieuse** de Central Park West. Cet immeuble de dix étages, de style **Renaissance germanique** (1884; Hardenbergh), fut le premier édifice construit côté ouest, « aussi loin que les plaines du Dakota », disait-on à l'époque.

La **façade*** est ornée de têtes d'Indiens, de flèches et d'épis de maïs évoquant le Far West. D'un luxe inouï pour l'époque, le Dakota disposait de toutes les commodités: ascenseurs hydrauliques, restaurant privé, salle de gymnastique, salles de bains gigantesques.

Quelque 150 domestiques veillaient au confort des locataires. En dépit de ces avantages, le Dakota, situé trop loin des beaux quartiers, resta longtemps à demi vide. Parmi les premiers locataires, on retient les noms de l'acteur Boris Karloff, du compositeur et chef d'orchestre Leonard Bernstein ou encore de l'actrice Judy Garland. Des scènes du film *Rosemary's Baby*, de Roman Polanski, y furent tournées en 1964. Le 8 décembre 1980, **John Lennon** était assassiné devant l'entrée située sur 72nd St. Lauren Bacall et Yoko Ono y résident toujours.

♥ American Museum of Natural History**

Central Park West, au niveau de 79th St. M° 81st St. (lignes B, C). Bus M7, M10, M11, M79, M104. Ouv. lun.-dim. 10 h-17 h 45. Donation suggérée: 13 $. Visites guidées (comptez env. 2 h de visite) t.l.j. ttes les heures 10 h 15-15 h 15. Visites en français possibles ☎ (212) 769.5100. Restaurants au r.-d.-c. et au 4e ét. ☎ 769.5100. www.amnh.org.

Riche de plus de 35 millions d'objets et spécimens, la collection du musée d'Histsoire naturelle s'est constituée à partir de celle d'un naturaliste français, Édouard Verreaux. Un petit nombre seulement de ces trésors est exposé dans les 40 salles du musée, sur quatre étages. Des dioramas très réalistes mettent en scène les animaux sauvages dans leur environnement naturel. Le musée développe également un programme de recherches très actif concernant les dinosaures.

détour
Central Park

En sortant du musée d'Histoire naturelle, pourquoi ne pas faire une halte dans **Central Park**? Le Shakespeare Garden et Belvedere Castle sont situés juste en face. Voir aussi l'hommage à John Lennon *(p. 125)* et la ♥ mosaïque Imagine du jardin Strawberry Fields.

18 | Harlem et Upper Manhattan*

Né de la spéculation immobilière à la fin du XIXe s., cet ancien faubourg résidentiel est devenu synonyme d'exclusion. C'est pourtant à Harlem, dans les années 1920, que l'aventure du jazz a commencé, au théâtre Apollo. Le musée des Cloîtres et la gigantesque cathédrale St John the Divine figurent parmi ses autres trésors.

Départ : cathédrale St John the Divine.

© B. Perousse

▲ Les paroisses de Harlem créent une chaîne de solidarité pour réhabiliter le quartier.

Cathedral of St John the Divine★★

1047 Amsterdam Ave. et W112th St. M° 110th St./Cathedral Pkwy (lignes 1, 9) Bus M4, M11, M20, M104. Ouv. t.l.j. 7 h-18 h (jusqu'à 19 h dim.). Entrée payante (donation). Visites guidées mar.-sam. à 11 h, dim. à 13 h. Beaux gospels pendant la messe de 11 h le dim. matin ☎ 316.7540. www.stjohndivine.org.

Cette gigantesque cathédrale néogothique doit sa fondation au banquier John Pierpont *(p. 100)*. Commencée en 1892 dans le style roman (chœur, abside et une partie du transept terminés en 1911), elle voit sa nef centrale, d'une ampleur inégalée (183 m de long et 44 m de large), achevée seulement en 1925. La statue de la Liberté pourrait facilement tenir à la croisée du transept. Un siècle après la pose de la première pierre, architectes, tailleurs de pierre et sculpteurs venus de France et d'Angleterre travaillent encore selon des **techniques médiévales**, pour que vive la cathédrale du XXIe s. Le décor sculpté du portail occidental mêle l'iconographie médiévale à des thèmes actuels comme le sida, le sport ou Nelson Mandela. Des **artistes contemporains** exposent dans les chapelles latérales. L'une d'elles est dédiée aux victimes du sida. La cathédrale est le siège de l'évêché du diocèse épiscopal de New York.

Prenez en face de l'entrée de la cathédrale W112th St., puis Broadway à dr.

Columbia University*

Entre W114th St. et W121st St., entre Broadway et Amsterdam Ave. Entrée principale: Broadway (et W116th St.) M° 116th St./Columbia University (lignes 1, 9). Bus M4, M11, M104: départ depuis le Visitors' Center (salle 203) ouv. 9 h-17 h dans la Low Memorial Library, lun.-ven 11 h et 14 h, f. sam.-dim. Rens.: Visitors' Center (dans l'établissement) ☎ 666.9490; rés. obligatoire ☎ 854.4900. **Visites guidées** (durée 1 h). Visite virtuelle de Columbia University sur www.colombia.edu. Cafétérias et restaurant. Terrasse, d'où la **vue*** sur Manhattan est extraordinaire.

Fondée en 1754 (King's College) l'université Columbia figure aujourd'hui parmi les dix meilleures universités américaines (elle est membre de la Ivy League, un ensemble d'universités d'élite sur la côte est des États-Unis) et compte 53 prix Nobel parmi ses anciens élèves. Ses facultés de gestion, de droit et de sciences sont particulièrement réputées. Il existe même une faculté des droits de l'homme unique aux États-Unis. L'**école de journalisme** *(1er bâtiment en entrant à dr.)*, fondée en 1912 par **Joseph Pulitzer**, décerne chaque année des prix en journalisme et en littérature, les fameux prix Pulitzer. Comme la plupart des universités américaines, Columbia est un établissement privé; l'année universitaire revient à quelque 30 000 dollars, sans compter l'hébergement et le couvert, mais nombreux sont les étudiants qui bénéficient d'une bourse. Les études durent 4 ans. Le campus accueille plus de 5 000 étudiants, dont 95 % y résident.

Prenez le bus M4 qui remonte Broadway pour gagner le General Grant National Memorial, dans Riverside Park.

une pause ?

Café

Profitez de l'atmosphère du café Le Monde*, sur Broadway, près de l'université Columbia, 2885 Broadway et 112th St. Ou bien rendez-vous au cœur de Harlem sur W125th St., entre Frederick Douglass Blvd (8th Ave.) et Malcolm X Blvd (Lenox Ave.).

conseil

Avant de silloner Harlem, passez au **Harlem Visitor Information Kiosk**, 163 W125th St. et 7th Ave./Adam Clayton Powell Blvd, ouv. t.l.j. lun.-ven. 9 h-18 h, w.-e. 10 h-18 h.

musique
Où écouter du gospel ?

● **First Corinthian Baptist Church** (1912 Adam Clayton Powell Jr Blvd, au niveau de 116th St. ; M° 116th St. [lignes B, C, 2, 3]; bus M18, M116 ou s'y rendre en taxi ☎ 864.9526). À 11 h, allez écouter le prêche du révérend Porter sur le thème des pouvoirs de Satan et sur fond de gospel. Impressionnant ! Tenue correcte exigée le dim.

● **Abyssinian Baptist Church** (132 W138th St., au niveau de 7th Ave. ; M° 135th St. [lignes 2, 3]; bus M2, M7, M102 ☎ 862.7474). Adam Clayton Powell y a prêché. Tenue correcte exigée le dim.

● **Harlem Week/Harlem Jazz and Music Festival.** Pendant tout l'été. www.harlemdiscover.com. ●

General Grant National Memorial

Riverside Dr. et W122nd St. M° 116th St./Broadway (lignes 1, 9). Bus M4, M5, M104. Entrée libre.

Le plus vaste mausolée des États-Unis. La crypte creusée sous la rotonde (1892-1897 ; Duncan) est inspirée de celle des Invalides, à Paris. Le général Ulysses S. Grant (1822-1885) fut commandeur des forces de l'Union pendant la guerre de Sécession et président des États-Unis (1869-1877). À sa mort, un million de personnes lui rendirent hommage. C'est le seul président américain qui repose dans la ville.

Prenez le bus M104 sur Broadway pour rejoindre W125th St., le cœur de Harlem.

Central Harlem*

Entre 110th et 168th Sts, Amsterdam Ave. (O) et Harlem River (E). M° 125th St. (lignes A, B, C, D, 2, 3). Bus M4, M11, M104. Le soir, restez sur les grands axes et **évitez la zone** située entre Central Park North et le sud de la 125th St.

Harlem, le quartier le plus vaste de Manhattan, est une véritable ville dans la ville, où cohabitent en majorité **Noirs, Hispaniques** et **Italiens**. Harlem est depuis quelques années en voie de réhabilitation ; désormais, les touristes viennent nombreux écouter du **gospel** dans les églises, et les investisseurs sont de retour. Martin Luther King Jr Blvd *(au niveau de 125th St.)* et Malcolm X Blvd *(au niveau de Lenox Ave.)* sont les artères principales de Central Harlem. C'est dans cette rue qu'est installé l'**Apollo Theater**, la Mecque du jazz.

● **Apollo Theater*** *(253 W125th St., entre 7th et 8th Aves ; M° 125th St. [lignes A, B, C, D, 2, 3] ; bus M2, M3, M7, M10, M18, M60, M100 à M102 ;* ***visites guidées*** *de 1 h t.l.j. 10 h 30-15 h 30 dans les studios d'enregistrement, la salle de contrôle de la télévision et le théâtre lui-même ; tél. avant de s'y rendre ☎ 222.0992, rés. avec carte bancaire ☎ 531.5337)*. Ce temple mythique du **jazz** depuis les années 1930 a rouvert ses portes en 1989 après une longue éclipse. Ce fut le premier grand théâtre destiné au public noir banni des autres salles. Il a été transformé en **studio de télévision** mais continue à présenter les mythiques **Nuits des amateurs** *(Amateurs Nights)*, le mercredi soir à partir de 19h30, une sorte de radio-crochet où débutèrent, entre autres, Ella Fitzgerald, Billie Holiday, Sarah Vaughan et James Brown. Les plus grands (Count Basie, Bessie Smith, Miles Davis, Charlie Parker, Dizzy Gillespie, Art Blakey, etc.) ont joué dans cette salle de 2000 places, toujours comble.

● **Studio Museum in Harlem*** *(144 W125th St., entre Lenox et 7th Aves;* M° *125th St. [lignes A, B, C, D, 2, 3]; bus M7, M60, M100 à M102; ouv. mer.-ven. 12h-18h, sam. 10h-18h, dim. 12h-18h, f. lun.-mar. et j.f.* ☎ *864.4500; www.studiomuseuminharlem.org)*. Ce centre culturel se consacre à la **culture afro-américaine**: intéressantes expositions temporaires de photos, peintures, sculptures, artisanat, films et conférences. On pourra notamment voir les photos de Van Der Zee, qui fit de nombreux clichés de Harlem dans les années 1920 jusqu'à sa mort, en 1980.

À partir d'ici, les centres d'intérêt sont assez dispersés. Faire des sauts de puce en bus, en métro ou en voiture.

● ♥ **Morris-Jumel Mansion*** *(65 Jumel Terrace, entre St Nicholas et Edgecombe Aves au niveau de W160th St., au N de Harlem;* M° *163rd St./Amsterdam Ave. [ligne C]; bus M2, M3, M18, M100, M101; ouv. t.l.j. sf lun. et j.f. 10 h-16 h; tél. avant de s'y rendre* ☎ *923.8008)*. Juchée sur une hauteur côté Harlem River, cette **maison coloniale*** en bois (1765) est l'un des rares témoins de l'époque prérévolutionnaire. Propriété du colonel Roger Morris, elle servit de quartier général à George Washington en 1776, durant la bataille de **Harlem Heights**. C'est à un riche marchand de vin originaire des Antilles françaises, Stephen Jumel, que l'on doit sa restauration à partir de 1810. Sa femme épousa en secondes noces Aaron Burr, vice-président des États-Unis, qui tua en duel son adversaire politique Alexander Hamilton, en 1804. Vous y verrez des **reconstitutions d'intérieurs*** de styles fédéral et Empire, le bureau de George Washington et des meubles ayant

shopping

Petites douceurs

Des envies de desserts fabuleux? Settepani Bakery (196 Lenox Ave.) est là pour les satisfaire. The Harlem Tea Room (1793 A Madison Avenue) fabrique pour sa part les meilleurs scones de New York. ●

© B. Rieger/Hémisphères Images

▲ Les chapiteaux à motifs animaliers du cloître de Saint-Michel-de-Cuxa.

appartenu à Napoléon Ier. La maison serait hantée par les Jumel. L'intérêt pour la Jumel Mansion augmente toujours autour de Halloween *(fin oct.)* !

♥ The Cloisters*** (musée des Cloîtres)

Au N de Manhattan, dans Fort Tryon Park (Washington Heights) M° 190th St./Fort Washington (ligne A) ; env. 30 mn de marche par Margaret Corbin Dr. Bus M4 sur Madison Ave. (terminus Fort Tryon/Cloisters). Ouv. mar.-dim. 9 h 30-17 h 15, f. lun. Audioguides. Plan fourni à l'entrée. Donation suggérée : 12 $. Un ticket pris au MET le jour même donne également accès aux Cloîtres et inversement. ☎ 923.3700. www.metmuseum.org.

Situé sur la rive de l'Hudson River, le parc de Fort Tryon occupait une position stratégique – non loin du **Washington Bridge** (1931 ; 1 065 m), le pont qui relie Manhattan au New Jersey. Il fut pris par les colons aux Indiens. Perché sur cette hauteur de Manhattan, d'où la **vue sur l'Hudson** est superbe, le musée des Cloîtres a de quoi surprendre les Européens. On y éprouve un véritable choc à la vue de ces **cloîtres médiévaux**, démontés pierre par pierre dans le sud de la France et remontés ici entre 1934 et 1938.

Dyckman House

4881 Broadway et W204th St., au N-E des Cloisters. Après la visite du musée des Cloîtres, prendre le métro à Dickman St. (ligne A) jusqu'à la station 207th St. Bus M4, M100, BX7, BX12. ☎ 304.9422. www.dyckman.org. Fermé pour restauration.

C'est la dernière **ferme** de l'époque **hollandaise** (1795) subsistant à Manhattan. À l'époque, c'était la plus vaste de la colonie. Pendant la guerre d'Indépendance, elle fut réquisitionnée par des soldats britanniques. Restaurée et transformée en musée, elle témoigne de la vie quotidienne des colons en milieu rural. ●

Les autres boroughs

© B. Rieger/Hémisphères Images

▲ Williamsburg, la vie bohème de l'autre New York.

Depuis 1898, New York n'est plus seulement Manhattan : c'est aussi le Bronx, seul rattaché à la terre ferme, le Queens, Brooklyn et Staten Island. Au XVIIe s., les Hollandais choisirent Manhattan, mais ils bâtirent des fermes sur les îles et les territoires environnants. L'examen d'une carte détaillée de New York montre aujourd'hui l'étendue de ces *boroughs*. Pour certains, ne pas aller à Brooklyn, facilement accessible par le pont (Brooklyn Bridge) et le métro, c'est passer à côté de New York !

19 | Brooklyn★★

© Kord.com/AGE Fotostock/Hoa Qui

▲ La Skyline de Manhattan vue de Brooklyn Heights Promenade.

Traversez l'East River et venez découvrir Brooklyn (extrémité sud-ouest de Long Island), ses musées, ses parcs et ses ruelles verdoyantes au charme rétro. Vous pourrez dîner au River Café *(p. 159)*, au pied du pont de Brooklyn, avant de faire une balade sur la *Brooklyn Heights Promenade*. De là, vous aurez une vue féerique sur le bouquet de gratte-ciel, Brooklyn Bridge, la statue de la Liberté, Wall St. et les ferries appareillant pour Staten Island.

« Vrai New York » ou banlieue-dortoir ?

Plus vaste et plus peuplé que Manhattan (131,6 km²; 2,5 millions d'habitants), Brooklyn voudrait être autre chose que sa banlieue satellite. Mais ses habitants disent que c'est là le vrai New York. La fierté de Brooklyn, c'est aussi cet accent qui vous désigne partout comme un enfant du faubourg. En 1646, la Compagnie néerlandaise des Indes occidentales fonde **Breuckelen**, du nom d'une ville des Pays-Bas. Au XIXe s., elle vit affluer des immigrants de nationalités diverses, qui tentèrent de recréer là leur environnement d'origine. De leurs villages naquirent autant d'enclaves à forte identité dont la physionomie a changé mais qui demeurent aujourd'hui.

Le refuge des artistes

Brooklyn a toujours attiré les artistes, les **écrivains** à Brooklyn Heights et Park Slope et les **peintres** du côté des docks. Dans les années 1980, des artistes contraints de s'exiler de SoHo *(p. 78)* à cause de la hausse des loyers investissent les entrepôts désaffectés de **Williamsburg** *(au N-O de Brooklyn)*, de Greenpoint et de Sunset Park. Comme à SoHo dans les années 1970, ils ont attiré à eux galeries, boutiques de créateurs et restaurants branchés. Plus récemment, une colonie d'artistes s'est installée sous le pont de Manhattan. D'où ce nom de **DUMBO** (Down Under the Manhattan Bridge Overpass) que le quartier porte depuis. Un millier d'artistes (et des jeunes cadres, attirés par des loyers trois fois moins élevés qu'à Manhattan) vivent dans d'anciennes usines de chaussures ou de papier et des entrepôts de tabac de la fin du XIXe s. Là, comme à SoHo et Williamsburg, ils ont su valoriser un quartier en perdition en transformant des hangars miteux en **lofts spacieux** et agréables à vivre.

♥ Brooklyn Heights**

À pied ou en voiture : accès par le Brooklyn Bridge. M° Clark St./Henry St. (lignes 2, 3). Bus B51 en provenance de Manhattan.

C'est un quartier ultra-résidentiel, au charme provincial, d'où les gratte-ciel et les centres commerciaux sont absents. Brooklyn Heights s'explore à pied, en flânant dans les ruelles tranquilles bordées de jardinets à l'anglaise. Les maisons de ville les plus anciennes datent des années 1860. Point d'uniformité dans l'alignement des façades mais un goût très éclectique pour les styles *Greek Revival*, Renaissance italienne, *Queen Anne* ou Tudor *(p. 25)*. Les **écrivains** en ont fait leur quartier de prédilection. Henry Miller a vécu au 91st Remsen St. ; Norman Mailer habite toujours sur Clark St. et Paul Auster vit dans Park Slope.

À l'extrémité de Clark St. se trouve la ♥ ***Brooklyn Heights Promenade*****.

Brooklyn Heights Promenade**

Elle longe l'East River, entre Remsen et Orange Sts.

Créée en 1950, elle offre une ♥ **vue***** sans pareille sur Manhattan, Brooklyn Bridge et la statue de la Liberté,

population
Une société de contrastes

La communauté noire représente près de 37 % de la population de Brooklyn. Venue du vieux Sud (Mississippi, Caroline du Sud, Alabama, Géorgie, Floride) ou de Harlem, elle est concentrée dans le quartier de Bedford-Stuyvesant. Le célèbre cinéaste Spike Lee en est originaire et y a installé ses bureaux. Les extrêmes se côtoient de près, comme souvent en Amérique : enclaves dorées de Brooklyn Heights et de Park Slope, ou défavorisées comme East New York, surnommée *« The Dead Zone »* (la zone morte), une banlieue de taudis qu'on aura bien soin d'éviter. C'est à Flatbush et Crown Heights que se sont rassemblés les réfugiés de Haïti et de la Jamaïque. Les juifs orthodoxes sont installés près du pont de Williamsburg, les Polonais à Greenpoint et les Russes à Brighton Beach. La **cohabitation** ne se passe pas sans heurts. La criminalité est en baisse, mais demeure élevée. C'est presque une tradition car le passé trouble de Brooklyn est traversé de sordides histoires de gangsters, dont le cinéma et la littérature ont fait leur miel.

À pied : par le Brooklyn Bridge. **En métro** (lignes A, C, F, G, M, N, R, 2, 3, 4, 5) ; à 10 mn du Midtown. **En voiture** : par les ponts de Brooklyn, Manhattan ou Williamsburg. Les centres d'intérêt étant assez distants les uns des autres, circulez en métro, en taxi ou en voiture. www.brooklyntourism.org.

particulièrement irréelle à la nuit tombée. De nombreuses scènes de films y ont été tournées.

Prenez Pineapple St. à dr. pour explorer les plus jolies rues du quartier.

| ♥ Des rues-jardins

Ces rues aux noms de fruits sont bordées de **maisons en *brownstone*** *(p. 25)* précédées d'un jardin *(front yard)*.

Sur Middagh St., d'élégantes **demeures en bois**★ de style fédéral (n°s 30-33) ; les écrivains Anaïs Nin (1903-1977) et Carson McCullers (1917-1967) ont partagé un appartement au n° 7. Au n° 24 *(au coin de Willow St.)* est installée l'une des plus anciennes maisons du quartier (1829). **Willow St.** a conservé des maisons de style *Greek Revival* (n°s 20-26) *(p. 25)*. C'est au n° 70 que l'écrivain Truman Capote a écrit *Breakfast at Tiffany's* et *De sang froid*. Maisons de style *Queen Anne* aux n°s 108 et 112.

|| Brooklyn Museum of Art★★ (BMA)

200 Eastern Pkwy et Washington Ave. M° Eastern Pkwy/Brooklyn Museum (lignes 2, 3). Bus B41, B48, B60, B71. Ouv. mer.-ven. 10 h-17 h, sam. et dim. 11 h-18 h. Entrée payante ☎ (718) 638.5000. www.brooklynmuseum.org ou www.brooklynart.org.

Ce musée est installé dans une vaste bâtisse de style **Beaux-Arts** (1895 ; McKim, Mead & White). Il possède l'une des plus belles collections d'art égyptien du monde, et ses départements d'arts primitifs et d'art oriental sont remarquables. Voir notamment **The Paracas Textile**★★, une cape datant de plus de 300 av. J.-C. et provenant de la côte sud du Pérou ; le département des **arts primitifs africains**★★ ; parmi les **œuvres chinoises**★★, **jades et émaux cloisonnés**★★ de la dynastie Jin, 1115-1234). Voir également la collection de 100 **estampes de Hiroshige**★★, l'exceptionnelle ♥ **collection d'art égyptien**★★, les reconstitutions d'**intérieurs**★ *(Period Rooms)* du XVIIe s. à nos jours ; enfin les **58 œuvres de Rodin**★★ (parmi lesquelles 12 études pour ***Les Bourgeois de Calais***★★.) ●

détour
Montague Street

Terminez votre balade sur **Montague St.**★, la rue la plus commerçante de Brooklyn Heights (boutiques de mode et petits restaurants). ●

itinéraire 19

20 | Le Bronx

© B. Rieger/Hémisphères Images

▲ Les Yankees forment la plus célèbre équipe de baseball grâce à la politique du club : joueurs vedettes et contrats faramineux...

Le Bronx, au nord-est de Manhattan, est le seul *borough* de New York situé sur la terre ferme. Il occupe 170,8 km² et abrite une population de 1,3 million d'habitants, en majorité noire et portoricaine. Il est deux fois plus vaste et plus peuplé que Manhattan. Il doit son nom à Johannes Bronck, un immigrant suédois qui s'y installa au XVIIe s. En 1898, lors de la fusion avec New York, la région avait encore un caractère très rural.

Une terre d'accueil

Au début du XXe s., la construction de la ligne ferroviaire favorisa son développement : Italiens, Irlandais, juifs d'Europe centrale purent enfin quitter les taudis du Lower East Side et installer leurs fabriques et ateliers dans le Bronx et le Queens. De cette époque date le Grand

Concourse, une majestueuse et très longue avenue inspirée des grands boulevards parisiens, bordée de beaux immeubles datant des années 1930 et aujourd'hui en voie de réhabilitation après des années d'abandon.

Relativement prospère au nord, comme en témoigne l'îlot ultra-résidentiel de **Riverdale**, où vécurent Roosevelt et Kennedy, le Bronx a vu ses quartiers sud et est basculer dans la misère dans les années 1950. Sans doute à cause de la construction d'autoroutes qui isolèrent des quartiers entiers. On assiste depuis au constant recul de la population blanche, remplacée par de nouveaux immigrants venus des Caraïbes.

EN PLEINE RÉHABILITATION

Le Bronx est devenu le symbole de la dégradation urbaine et de la criminalité galopante. C'est le quartier réputé le plus difficile de la ville : East Bronx, South Bronx et Belmont offrent un concentré des maux communs à toutes les grandes cités américaines : délinquance, drogue et trafics en tout genre. Comme dans Harlem, des associations de quartier ont à cœur de reconquérir le terrain sur les dealers, rue après rue. On construit des logements sociaux financés par des entreprises qui ainsi bénéficient de mesures fiscales particulières...

Yankee Stadium

E161st St. et River Ave. M° 161st St./Yankee Stadium (lignes 4, C, D). Il est possible de gagner directement le Yankee Stadium en prenant le ferry à South St. Seaport ☎ (718) 293.4300. www.newyorkyankees.com.

Construit en 1923, ce gigantesque stade de **base-ball** situé au sud-ouest du Bronx peut accueillir 57 545 personnes assises. C'est le fief de la célèbre équipe newyorkaise des **Yankees**. Des monuments ont été élevés à la gloire des plus grands joueurs de l'histoire, Babe Ruth et Joe DiMaggio, qui fut l'époux de Marilyn Monroe. Le stade programme 75 matchs *(entre mi-avr. et fin sept.)* et accueille également des concerts et des rassemblements politiques et religieux.

bon à savoir

Déplacez-vous en voiture, taxi ou métro car le Bronx est aussi grand que Paris et les centres d'intérêt sont éloignés les uns des autres. En taxi, donnez une adresse précise. Le zoo, le Yankee Stadium et le jardin botanique sont faciles d'accès en métro.

Visites guidées du Bronx en bus : www.ilovebronx.com.

|| Bronx Zoo★★

Bronx River Pkwy, au niveau de Fordham Rd. M° Pelham Pkwy (IRT 2 Express) ou Tremont Ave. (lignes 2, 5). Bus BxM11 (Liberty Lines; ce bus climatisé prend les voyageurs sur Madison Ave. ☎ [718] 652.8400) ou Bx9, Bx19. Ouv. t.l.j. avr.-oct. 10 h-17 h, sam., dim. et j.f. 10 h-17 h 30; nov.-mars 10 h-16 h 30. Pour une vue panoramique sur le zoo, empruntez le Zoo Shuttle ou le Skyfari Aerial Tramway. Entrée payante sf mer. Visites guidées gratuites à pied ☎ (718) 367.1010. www.bronxzoo.com.

Créé en 1899, c'est le zoo urbain le plus vaste des États-Unis (107 ha). Quelque **4 000 animaux** représentant 600 espèces s'ébattent dans des habitats remarquablement reconstitués. Le Bronx Zoo a pour mission de **sauver les espèces en voie de disparition**. Les droits d'entrée permettent de financer ce projet ainsi que le centre d'études sur la santé, la nutrition et la reproduction des animaux.

Parmi les espèces les plus rares, on pourra approcher la ♥ **panthère des neiges** (espèce originaire d'Asie centrale, en voie d'extinction; un élevage programmé de ces félins a été créé ici avec succès dans les années 1960), le rhinocéros laineux, l'ours polaire, le panda rouge et le tigre de Sibérie. Voir aussi la **Congo Gorilla Forest★**, l'habitat des grands gorilles. Au **Children's Zoo★** (zoo pour les enfants; *ouv. avr.-oct.*), les petits pourront caresser et nourrir les animaux. ●

escroquerie

Au feu, les pompiers !

Les pompiers du Bronx font environ 200 sorties par jour. 20 % des incendies sont d'origine criminelle. Certains propriétaires préfèrent en effet mettre le feu à leurs immeubles insalubres et toucher la prime d'assurance plutôt que de payer pour les démolir et dédommager les habitants. Des secteurs entiers se transforment ainsi en terrains vagues, et il ne se passe pas un seul jour sans qu'un feu d'origine criminelle soit allumé dans les quartiers les plus modestes. Si le propriétaire ne s'acquitte plus de la taxe foncière, la ville récupère souvent le bien, mais tarde à entreprendre des travaux, faute de budget. ●

21 | Le Queens

▲ L'*Unisphère* du Corona Park (Harold Glaser) fut construite pour l'Exposition universelle de 1964-1965. C'est la plus grande sphère du monde.

Six fois plus grand que Manhattan et deux fois plus vaste que Paris, le Queens est le plus étendu des cinq *boroughs*. Sur la route des aéroports JFK et La Guardia, on traverse cette banlieue-dortoir sans la voir. Le Queens recèle pourtant quelques merveilles, comme le musée du Cinéma ou le centre d'Art contemporain PS1.

Un peu d'histoire

Colonisé par les Hollandais dès 1609, le Queens conserve quelques vestiges de ces antiques fermes bataves. Les Anglais baptisèrent le Queens en hommage à Catherine de Bragance, épouse du roi Charles II. Dans les années 1920, le Queens abritait les studios de cinéma Astoria, les plus importants de la côte est. La population pluri-ethnique du Queens (2,3 millions d'hab.) ne cesse d'augmenter. La communauté grecque, la plus importante, est regroupée autour de 31st St. et Ditmar Blvd; nombreuses églises orthodoxes aux alentours et de bons petits restaurants, à la cuisine ensoleillée, où l'on parle à peine anglais.

Au N-E de Brooklyn, sur Long Island.

www.discoverqueens.info.

|| PS1 Contemporary Art Center*

22-25, Jackson Ave., dans le quartier de Long Island City. M° 21st St./ Van Alst (lignes G,V), V (sf. w.-e.), E (23rd St./Ely Ave.), 7 (45rd St./ Courthouse Sq.). Bus Q67 (Jackson Ave. et 46th St.), B61 (46th Ave.). Ouv. jeu.-lun. 12 h-18 h, entrée payante ☎ (718) 784.2084. www.ps1.org.

Ce centre d'Art contemporain est une filiale du MoMA (*p. 112*). Il présente des expositions d'artistes américains et étrangers très novatrices.

|| American Museum of the Moving Image** (AMMI)

35th Ave. et 36th St., dans le quartier d'Astoria. M° Steinway St./ 34th Ave. (ligne R, V). Bus Q66, Q101. Ouv. mar.-ven. 12 h-17 h, sam.-dim. 14 h-18 h, f. lun. Studios fermés au public. Entrée payante; visites guidées gratuites. ☎ (718) 784.4520. www.movingimage.us.

Installé dans les anciens Kaufman-Astoria Studios ouverts dans les années 1920, ce musée unique en son genre à New York restitue la magie du cinéma avec ***Behind the Screen***, une évocation des plus belles inventions du septième art: du zoetrope (carrousel d'images d'Eadweard Muybridge, v. 1887) à l'image digitale d'aujourd'hui.

Ce musée présente une collection de caméras et de **projecteurs anciens***, des maquettes et des décors grandeur nature, des costumes, des extraits de films, musiques de films, etc.

Utilisés par l'armée jusqu'en 1971, les studios ont repris du service à partir de 1976. *All That Jazz* (Bob Fosse, 1979), *Hair* (Milos Forman, 1979), *Hannah et ses sœurs* (Woody Allen, 1986) y ont été tournés. On verra également la collection de poupées de l'actrice Shirley Temple mais aussi le char de *Ben-Hur* (1959) et la tête de bois amovible de la petite fille de *L'Exorciste*. L'acteur Robert De Niro a offert quelque 3 000 costumes au musée. •

détour The Noguchi Museum

9-01 33rd Rd, dans le quartier de Long Island City, entre Vernon Blvd et 10th St. M° Broadway (lignes N et W). Bus 19A, 101R, Q18, Q102 à Q104. Ouv. avr.-nov. mer.-ven. 10 h-17 h, sam.-dim. 11 h-18 h. Entrée payante. ☎ (718) 204.7088. www.noguchi.org. L'atelier du sculpteur et scénographe Isamu Noguchi (1904-1988) a été transformé en musée. Le ♥ jardin de sculptures est un havre de paix à la japonaise. •

Carnet d'adresses

© B. Rieger/Hémisphères Images

▲ The Cupping Room Café, l'une des adresses les plus authentiques de SoHo.

|| Adresses utiles

• **Aéroports**. **Kennedy Airport (JFK)**, Queens ☎ (718) 244.4444. **Newark Airport (EWR)**, New Jersey ☎ (973) 961.6000. **La Guardia Airport (LGA)**, N-E de Manhattan ☎ (718) 533.3400 (vols domestiques).

••• *Pour plus de détails, voir les informations concernant l'arrivée à New York p. 174.*

• **Autocars**. **Port Authority Bus Terminal**, 825 8th Ave., entre 40th et 42nd Sts. **M°** 42nd St. ☎ 564.8484. **Gray Line**, 777 8th Ave., entre 47th et 48th Sts. **M°** Times Sq. ☎ (212) 445.0848 ou (800) 669.0051. www.grayline.com.

• **Banques françaises**. BNP, 787 7th Ave. (et 50th St.). M° 50th St. ☎ (212) 841.2000. *Ouv. lun.-ven. 9h-16h.* **Crédit Lyonnais**, 1301 6th Ave., entre 52nd et 53rd Sts. M° 53rd St./5th Ave. ☎ (212) 261.7000. *Ouv. lun.-ven. 9h-17h.* **Société Générale**, 1221 6th Ave. M° 47th/ 50th St. ☎ (212) 278.6000. *Ouv. lun.-ven. 8h-18h.*

• **Bureaux de change**. Vous en trouverez facilement sur Times Sq.

• **Compagnies aériennes**. Air France, 120 W56th St., entre 6th et 7th Aves ☎ (800) 237.2747. **American Airlines** ☎ (800) 433.7300. **British Airways** ☎ (800) 247.9297. **Continental Airlines** ☎ (800) 523.3273. **Delta Airlines** ☎ (800) 221.1212. **United Airlines** ☎ (800) 864.8331.

••• *Pour obtenir des* ***rabais*** *sur vos vols intérieurs ☎ (800) FLY-ASAP, une centrale de réservation qui communique les prix du marché.*

• **Consulats**. **Belgique**, 1330 6th Ave. (et 54th St.), 26e ét. M° 5th Ave. ☎ (212) 586.5110. **Canada**, 1251 6th Ave., et 50th St. M° 47th-50th Sts/Rockefeller Center ☎ (212) 596.1628. **France**, 934 5th Ave., et 75th St. M° 77th St. ☎ (212) 606.3600. **Luxembourg**, 17 Beekman Pl. M° 51st St. ☎ (212) 888.6664. **Suisse**, 633 3rd Ave., et 41st St., 30e ét. M° 53rd St./5th Ave. ☎ (212) 599.5700.

• **Hôpitaux**. **Lenox Hill Hospital** 100 E77th St. ☎ (212) 434.2000. **Bellevue Hospital** 462 1st Ave. ☎ (212) 562.4141.

• **Institutions culturelles françaises**. **Services culturels de l'amabassade de France**: ☎ (212) 439.1466. www.info-france-usa.org/culture. **Alliance française**, Institut culturel français de New York, 20 E60th St., entre Park et Madison Aves. M° 59th St. ☎ (212) 355.6100. www.fiaf.org. *Ouv. lun.-jeu. 9h-20h, ven. jusqu'à 18h., sam. jusqu'à 17h.*

• **Médecins**. **NY Hotel Urgent Medical Services**, 952 5th Ave. et 77th St. ☎ (212) 737.1212. **Doctors on call** *(24h/24)* ☎ (212) 737.2333. **Dental Service** (dentistes) ☎ (212) 744.3928, (212) 371.0500.

• **Métro et autobus**. ☎ (718) 330.1234. Informations multilangue: ☎ (718) 330. 4847.

• **Navettes aéroport**. Les navettes vous déposeront à la porte de votre hôtel. Donnez l'adresse au *dispatch*. Pour le départ, téléphonez la veille pour le lendemain ou adressez-vous au concierge de l'hôtel. **Airlink** ☎ 812.9000, www.airlinknyc.com. **SuperShuttle** ☎ (212) 258.3826. www.supershuttle.com.

• **Objets trouvés**. **Lost & found** ☎ (212) 712.4500. *Ouv. lun.-ven. le matin.* Objets perdus dans le métro ou bus. **Taxi & Limousine Commission** ☎ (212) 692.8294. *Ouv. lun.-ven. 9h-17h.* Objets perdus.

• **Pharmacie**. **Kaufman Pharmacy** *(24h/24)*, 557 Lexington Ave. et 50th St. M° 51st St. ☎ (212) 243.7743 .

• **Presse**. Universal News & Café, 977 8th Ave. et 58th St. *Ouv. t.l.j.* Toute la presse internationale.

• **Train**. **Grand Central Terminal**: pour la banlieue N et N-E de New York: Park Ave. et 42nd St. M° 42nd St./ Grand Central ☎ 532.4900. **Long Island Railroad**

(LIRR) ☎(718) 217.5477; attention, les lignes se nomment «MTA-Metro North», mais ce n'est pas le métro.

• **Urgences**. **Ambulance, police, pompiers**. En cas d'accident, d'agression ou d'incendie, composez le ☎911. L'opératrice vous mettra en contact avec le service adéquat.

Hôtels

Pour un premier voyage à New York, choisissez un hôtel du Midtown – le quartier de Times Square, fascinant mais bruyant et touristique, n'est pas le plus abordable. Si vous séjournez plus d'une semaine, changez une fois d'hôtel, pour découvrir un autre environnement. Demandez toujours un étage élevé. Comptez un minimum de 150 $ la chambre (le tarif est généralement le même en chambre simple ou double), le prix moyen d'une nuitée étant de 243 $ (2005). Les tarifs, dans une même catégorie d'hôtel, peuvent varier de plus de 50 % selon la date et la saison. Les vacances de Pâques et les fêtes de fin d'année sont des périodes particulièrement chargées. Les tarifs baissent le week-end dans les hôtels d'affaires.

Le petit déjeuner n'est pas inclus dans le prix de la chambre, sauf exception. Comptez 15 $ pour un déjeuner américain. Il est souvent plus économique de le prendre à l'extérieur. À l'hôtel, téléphoner coûte cher. Emportez un mobile tribande, achetez une carte téléphonique internationale ou mieux, utilisez la carte France Télécom. La plupart des hôtels disposent d'un accès Internet. Profitez-en car les cybercafés sont devenus rares à New York.

En achetant un forfait auprès d'une agence de voyages, vous bénéficierez de prix intéressants pour un séjour dans un hôtel ▲▲▲▲ étoiles. De plus, vous n'aurez pas à vous acquitter des taxes hôtelières et de séjour.

●●● Des centrales de réservation hôtelière proposent, sur Internet, des réductions de 20 à 50 %, notamment www.nycvisit.com, www.hotels.com, www.ebookers.com, www.hoteldiscount.com, www.cheaphotels.com, www.expedia.com, www.alpharooms.com; comparez les tarifs des différentes centrales sur www.nycitysearch.com.

informations utiles

Tourisme

ⓘ **New York Convention and Visitors' Bureau**, 810 7th Ave., entre 52nd et 53rd Sts. M° 7th Ave./53rd St. ☎484.1200/1222, www.nycvisit.com. Ouv. lun.-ven. 8 h 30-18 h, sam.-dim. 9 h-17 h.

Times Square Visitors' Center, 1560 Broadway, entre 46th et 47th Sts, dans le Palace Theater. M° 49th St. Bus M6, M7, M10, M104 ☎(212) 869.1808, www.timessquarenyc.org. Ouv. t.l.j. 8 h-20 h. Cartes, plans, réservations, Internet, etc. Visite gratuite des théâtres de Broadway (départ du Visitors' Center chaque ven. à 12 h).

Jacob Javits Convention Center, 655 W34th St., entre W34th et W39th Sts et entre 11th et 12th Aves. M° 34th St./Penn Station puis bus M34 ☎216.2000, www.javitscenter.com. Le centre de congrès de NYC conçu par Ieoh Ming Pei en 1986. ●

Downtown

Financial District

▲▲▲▲ **Millenium Hilton**, 55 Church St., entre Fulton et Dey Sts. **M°** Cortland St. ☎693.2001. *569 ch.* Un hôtel confortable, situé en face de Ground Zero. Prix corrects pour sa catégorie. Avec piscine.

▲▲▲ **Best Western Seaport Inn**, 33 Peck Slip et Front St., **M°** Fulton St./Broadway Nassau ☎766.6600. Proche du South Street Seaport. *72 ch.* Prix raisonnables.

SoHo, TriBeCa, Greenwich Village

▲▲▲ **Cosmopolitan,** 95 W Broadway et Chambers St., **TriBeCa**. **M°** Chambers St. ☎ 566.1900. www.cosmohotel.com. *115 ch.* Petites chambres à la déco contemporaine. Prix très étudiés. Mini-lofts pour familles.

▲▲▲ **Holiday Inn Downtown SoHo,** 138 Lafayette St., **M°** Canal St. ☎ (212) 966.8898. www.hidowntown-nyc.com. Un hôtel bien situé, à portée de SoHo, TriBeCa et l'East Village.

▲▲▲ **Washington Square**, 103 Waverly Pl., entre MacDougal St. et 6th Ave., au cœur de **Greenwich Village**. **M°** W4th St./Washington Sq. ☎ (212) 777.9515. www.washingtonsquarehotel.com. *170 ch.* Quelques chambres avec s.d.b. commune. Le petit déjeuner à l'européenne est offert. Chambres très petites au décor sobre. Modeste pour sa catégorie.

▲▲ **Larchmont**, 27 W11th St., entre 5th et 6th Aves. **M°** 14th St. ☎ 989.9333. www.larchmonthotel.com. *50 ch.* Un petit hôtel sans prétention et pas trop cher dans **West Village**. S.d.b. communes. Sans ascenseur.

Gramercy Park/Union Square

▲▲▲▲ **Gramercy Park**, 2 Lexington Ave. et E21st St. **M°** 23rd St. ☎ (212) 920.3300 et (800) 221.4083. www.gramercyparkhotel.com. *509 ch. et suites.* Hôtel calme et confortable qui a rouvert ses portes au printemps 2006 après une longue restauration. Quartier très agréable et résidentiel. Demandez une vue sur le seul parc privé à New York. Cher et branché.

▲▲▲▲ **W Union Square**, 201 Park Ave. S, entre Union Sq. et E17th St. **M°** 14th St./Union Sq. ☎ 253.9119. *270 ch.* Caractéristique de la vogue des boutiques-hôtels au décor très contemporain où on peut tout emporter dans sa chambre, à condition de payer le prix. Proche de Gramercy Park.

Midtown

▲▲▲▲ **Sofitel North America**, 45 W44th St., entre 5th et 6th Aves. **M°** 5th Ave. ☎ 354.8844. www.sofitel. com. *346 ch. et 52 suites.* L'un des hôtels préférés des Français à New York. Dans un décor style années 1930, confort à la française et accueil souriant.

▲▲▲ **The Carlton on Madison**, 22 E29th St., entre 5th et Madison Aves. À 4 blocs de l'**Empire State Building**. **M°** 28th St. ☎ 532.4100 et (800) 542.1502. carltonhotelny.com. *320 ch.* Rénovation récente. Prix corrects en passant par une centrale de réservation.

▲▲▲ **New Yorker Ramada**, 481 8th Ave. **M°** 34th St./Penn Station ☎ (212) 971.0101. www.nyhotel.com. *860 ch.* Un assez bon rapport qualité-prix malgré le décor fané des chambres. Tic-Tock Diner *ouv. 24h/24 (encadré p. 157)*.

▲▲▲ **Paramount**, 235 W46th St., entre 7 th et 8th Aves. **M°** 42nd St. ☎ 764.5500 et (800) 225.7474. *610 ch.* Un hôtel à la mode, décoré façon paquebot par **P. Starck**. Chambres petites mais agréables. Le Whiskey Bar est un lieu de rendez-vous très recherché.

▲▲▲ **QT Hotel**, 125 W45th St. **M°** 42nd St. ☎ 354.2323. www.hotelqt.com. *140 ch.*

Un nouveau concept d'hôtel, à la fois basique et mode.

▲▲▲▲ ♥ **The Roosevelt Hotel**, 45 E45th St., et Madison Ave. **M°** 42nd St./Grand Central ☎ 661.9600. www.theroosevelthotel.com. *1 015 ch.* Hôtel bien situé, dans un bâtiment ancien (1924). Superbe hall d'entrée. Chambres rénovées.

▲▲▲ **Thirty-Thirty**, 30 E30th St., entre Madison et Park Aves. **M°** 28th St. ☎ 689.1900. www.thirtythirty-nyc.com. *253 ch.* Un bon petit hôtel bien situé et bien équipé. Chambres à la déco contemporaine, petites mais coquettes.

▲▲ **Best Western Convention Center**, 522 W38th St., entre 10th et 11th Sts. **M°** 34th St./Penn St. ☎ (212) 405.1700. www.bestwestern.com. *83 ch.* Un hôtel de chaîne, tout près du Javits Center. Chambres de bon confort.

▲▲ **Murray Hill Inn**, 143 E30th St., entre Lexington et 3rd Aves. **M°** 28th St. ☎ 545.0879. *50 ch.*, certaines avec s.d.b. à partager. Clientèle jeune, pas trop exigeante sur le confort. Bien situé dans un bloc résidentiel.

▲▲ **Ramada Inn**, Eastside 161 Lexington Ave., entre E30th et E31st Sts, **Murray Hill**. **M°** 28th St. ☎ 545.1800 et (800) 567.7720. www.applecorehotels.com. *100 ch.*, quelques chambres plus grandes pour familles. Basique, l'essentiel du confort et le prix en rapport.

▲ **Comfort Inn Chelsea**, 18 W25th St., entre Broadway et 6th Ave. **M°** 23rd St. ☎ 645.3990. *100 ch.* avec douche. Confort simple mais suffisant pour un court séjour.

▲ **Herald Square Hotel**, 19 W31st St., entre 5th Ave. et Broadway. **M°** 34th St. ☎ 279.4017 ou (800) 727.1888. www.heraldsquarehotel.com. *130 ch.* Très basique et pas trop cher pour le quartier.

▲ **Portland Square Hotel**, 132 W47th St., entre 6th et 7th Aves. **M°** 49th St. ☎ 382.0600 et (800) 388.8988. *113 ch.* Façade pimpante mais intérieur plus modeste. Très bien situé pour le prix.

Upper Midtown

▲▲▲▲ **Novotel**, 226 W52nd St. et Broadway. **M°** 50th St. ☎ (212) 765.5365 et (800) 221.3185. www.accor.com. *474 ch. Lobby* situé à l'étage. Point de chute pour les Français de passage. Excellent petit déjeuner avec vue. Bien situé.

▲▲▲▲ ♥ **Parker Meridien**, 118 W57th St., entre 6th et 7th Aves, proche de **Carnegie Hall**. **M°** 57th St. ☎ 245.5000 et (800) 543.4300. www.parkermeridien.com. *900 ch. et suites.* Chambres fonctionnelles et élégantes, équipées d'un téléviseur géant et d'un lecteur DVD. Vue sur Central Park. Superbe centre de fitness au sous-sol. ♥ **Piscine** avec vue sur le toit.

▲▲▲ **Belvedere**, 319 W48th St., entre 8th et 9th Aves. **M°** 50th St. ☎ 245.7000. www.belvederehotelnyc.com. *200 ch.* Kitchenette et micro-ondes. Un petit hôtel calme et bien tenu, situé à deux blocs de Times Sq. Bon rapport qualité-prix. Bon **restaurant brésilien** Plataforma.

▲▲▲ **Wyndham**, 42 W58th St. et 5th Ave. **M°** 5th Ave. ☎ 753.3500. *200 ch. Rés.*

longtemps à l'avance. C'est l'hôtel préféré des **acteurs** de Broadway. Pas trop cher.

▲ **Habitat**, 130 E57th St. et Lexington Ave. **M°** 59th St./Lexington Ave. ☎ 753. 8841. www.stayinny.com. *220 ch.* S.d.b. à partager. Pas cher et bien situé. Chambres très petites.

Uptown

Upper West Side

▲▲▲ ♥ **Beacon**, 2130 Broadway et W75th St. **M°** 72nd St. ☎ 787.1100 et (800) 572.4969. www.beaconhotel.com. *230 ch.* Un bon rapport qualité-prix pour cet hôtel agréable et bien situé, dans un quartier résidentiel tout proche du Lincoln Center, à trois blocs de Central Park. Chambres au décor classique mais confortables, vraiment spacieuses et toutes équipées d'une kitchenette. Suites à tarifs raisonnables pour séjourner en famille (25e ét.).

▲▲▲ **The Lucerne**, 201 W79th St., entre Amsterdam Ave. et Broadway. **M°** 79th St. ☎ 875.1000 ou (800) 492.8122. www.the lucernehotel.com. *250 ch.* Classique et confortable, proche de Central Park. Quartier résidentiel, mais un peu excentré.

Upper East Side

▲▲▲▲ **The Mark**, 25 E77th St. et Madison Ave. **M°** 77th St. ☎ 744.4300 et (800) 223.15 88. www.mandarinorien tal.com. *180 ch. et suites.* Près de Central Park, l'une des adresses les plus chic en ville. Chambres meublées en style Biedermeier.

Bed & Breakfast

Pas forcément moins cher qu'un hôtel mais plus accueillant, le B & B fait de plus en plus d'adeptes. Plus excentrés mais non dénués de charme, de nombreuses adresses également dans la vallée de l'Hudson. **Empire State B & B Association**, www.esbba.com ou www.hudsonvalleybandbs.com.

Centrales de réservation

Empire State B & B Association. ☎ (866) 513.6358. www.esbba.com. Dans tout l'état de New York.

City Lights B & B Ltd, 308 E79th St., entre 1st et 2nd Aves ☎ 737.7049. www.citylightsbedandbreakfast.com. Une bonne sélection dans toute la ville.

Brooklyn ☎ (718) 434.2071. Chambres chez l'habitant, 4 jours de séjour au minimum.

Hospitality Co. 515 Madison Ave. ☎ 813.2244 ou ☎ (800) 987.1235. www.hospitalityco.com. Appartements meublés dans Manhattan.

Gamut Realty Group, 115 E57th St., 11e ét. ☎ (212).879.4229. www.gamutnyc.com. Appartements meublés, locations de courtes durées.

Brooklyn

Garden Green B & B, 641 Carlton Ave., entre Park Pl. et Prospect Pl. Suivre Flatbush Ave. depuis le Grand Army Plaza ☎ (718) 783.5717. gardengreen@aol.com. À partir de 120 $ la chambre double.

The B & B on the Park, 113 Prospect Park West, Park Slope ☎ (718) 499.6115. www.bbnyc.com. *7 ch.* meublées à l'ancienne. À partir de 155 $ env. *(French Cottage)* Assurément deux adresses de charme.

carnet d'adresses

YMCA

YMCA MacBurney, 125 W14th St. et 7th Ave. M° 14th St./Union Sq., dans **Chelsea** ☎ 741.9210. *200 ch.* Gymnase.

YMCA West Side, 5 W63rd St., entre Broadway et Central Park. M° 66th St./ Lincoln Center ☎ 875.4100 (branche internationale). www.ymca.net. *550 ch.* Gymnase. Vraiment très bien situé dans un quartier ultra-résidentiel, en bordure de Central Park. www.ymcanyc.org.

Restaurants

Prenez toujours la peine de **réserver** votre table au restaurant. N'oubliez pas qu'au prix affiché il faut ajouter la **taxe (8,625 %) plus env. 15 %** de pourboire *(p. 178)*. Un truc pour calculer le montant du pourboire : doublez le montant de la taxe.

Il est d'usage de dîner vers 18 h, et la plupart des établissements ne servent plus **après 22 h**. Heureusement, il y a les ***delis*** *(encadré p. 158)*, les traiteurs typiquement new-yorkais, et les ***diners*** *(encadré p. 154)*, qui proposent une cuisine simple, jour et nuit.

Downtown Sud

Financial District - South Street Seaport

♦♦♦ **Cabana**, 89, South Street Seaport, Pier 17, 3e ét. M° Broadway, Nassau St., Fulton St. ☎ 406.1155. Cuisine des Caraïbes. *Sans réservation.* Spécialités : *Ceviche Mixto, Coco Cabana Pollo* (poulet au coco). Beaucoup de monde (le quartier est très touristique) et belle vue.

♦♦ **Red**, 19 Fulton St. et Front St., entre Water et South Sts. M° Fulton St. ☎ 571.5900. Cuisine américaine du Sud-Ouest. *Steakhouse.* Service expéditif.

Downtown Nord

Chinatown

♦♦♦ **Peking Duck House**, 28 Mott St., entre Mosco St. et Pell St. M° Canal St. ☎ 227.1810. L'un des meilleurs **canards laqués** du quartier chinois. Cadre plutôt design.

♦♦ **Golden Unicorn**, 18 East Broadway, entre Catherine et Market Sts, sur Grand St. M° Brooklyn Bridge ☎ 941.0911. Spécialités de *dim-sum* le week-end. Pas romantique, mais efficace. Bondé au déjeuner le dim.

♦♦ **Joe's Shanghai**, 9 Pell St., entre Bowery et Mott Sts. M° Grand St. ☎ 233.8888. Bien connu pour ses *soup dumplings*. Pas d'ambiance mais l'attente vaut la peine.

♦♦ **Mandarin Court**, 61 Mott St., entre Bayard et Canal Sts. M° Canal St. ☎ 608.3838. Cuisine chinoise de **Hong Kong**. Connu pour ses *dim-sum* et son canard laqué. Cadre sans grand charme, mais incontestablement l'un des meilleurs restaurants dans le quartier.

♦♦ **Ping's**, 22 Mott St. et Mosco St. M° Canal St. ☎ 602.9988. Cuisine chinoise classique, bon rapport qualité-prix. Cadre confortable.

♦♦ **Pongsri**, 106 Bayard St., entre Bayard et Baxter Sts. M° Canal St. ☎ 349.3132. Bon thaï, accueillant et traditionnel. Spécialités de fruits de mer. Autre adresse dans le Theatre District, *p. 158*.

♦ **Big Wong King**, 67 Mott St., entre Canal et Bayard Sts. M° Canal St. ☎ 964.0540. Très rapide, bon et pas cher. Délicieux canard et porc laqués.

tarifs restaurants

♦♦♦♦ 65 $ et plus

♦♦♦ de 35 à 65 $

♦♦ de 20 à 35 $

♦ entre 10 et 20 $ ●

♦ **Excellent Pork Chop House.** 3 Doyers St. et Chathan Sp. **M°** Canal St. ☎ 79.7007. Bonne cuisine taïwanaise.

♦ **New York Noodletown**, 28 1/2 Bowery et Pell St. **M°** Canal St. ☎ 349.0923. *Cartes bancaires non acceptées.* L'une des meilleures adresses du quartier pour déguster la cuisine de **Hong Kong**. Bière seulement. Ouvert tard le soir.

Little Italy, NoLIta, Lower East Side

♦♦♦♦ **Peasant**, 194 Elizabeth St., entre Prince et Spring Sts, **NoLIta**. **M°** Prince St. et Spring St. ☎ 965.9511. Cuisine italienne. Préparations rustiques et parfumées à point.

♦♦♦ **Angelo's**, 146 Mulberry St., entre Grand et Hester Sts. **M°** Grand St. ☎ 966.1277. Une institution italienne.

♦♦♦ **Il Palazzo**, 151 Mulberry St., entre Grand et Hester Sts. **M°** Grand St. ☎ 343.7000. Un restaurant italien charmant avec patio pour dîner dehors. Pas trop cher au déjeuner.

♦♦♦ **Umberto's Clam House**, 178 Mulberry St. et Broome St. **M°** Grand St. ☎ 431.75 45. Cuisine italienne classique. Convivial.

♦♦ **Cafe Habana**, 17 Prince St., entre Elizabeth et Mott Sts, dans **NoLIta**. **M°** Spring St. ☎ 625.2002. Cuisine cubaine. *Jarritos* (boissons aux fruits), plats épicés aux haricots rouges, maïs grillé. Mode et pas trop cher, donc bondé. S'il y a trop de monde, achetez votre repas au *take out* (vente à emporter) juste à côté.

♦ **Cafe Gitane**, 242 Mott St., entre Prince et E Houston Sts. **M°** Spring St. ☎ 334.9552. Cuisine franco-marocaine pour déjeuner ou faire une halte en plein shopping dans NoLIta.

♦ **Rice to Riches**, 37 Spring St., entre Mullberry et Mott Sts. **M°** Spring St. ☎ 274.0008. Du riz coloré pour d'étonnants plats et desserts. À manger sur le pouce.

SoHo et TriBeCa

♦♦♦♦ **Nobu**, 105 Hudson St. et Franklin St., **TriBeCa**. **M°** Franklin St. ☎ 219.0500. *Rés. plusieurs jours à l'avance et confirmez la veille.* Le fameux restaurant **japonais** de De Niro. Raffiné, certes, mais peu copieux et pas donné. Voir aussi **Next Door Nobu** (☎ 334.4445), à côté, la « cantine » des lieux, plus abordable.

♦♦♦ ♥ **Balthazar**, 80 Spring St., entre Broadway et Crosby Sts, **SoHo**. **M°** Spring St. ☎ 941.0364. Brasserie à la française. Service efficace, cuisine de qualité égale.

♦♦♦ **City Hall**, 131 Duane St., entre Church St. et West Broadway, **TriBeCa**. **M°** Chambers St. ☎ 227.7777. Un restaurant typiquement new-yorkais installé dans un immeuble en fonte datant de 1863. Cuisine américaine classique, avec en vedettes, steaks, *seafood* et bar à huîtres. Convivial à défaut d'être vraiment romantique.

♦♦♦ **The Mercer Kitchen**, au sous-sol de l'hôtel Mercer, 99 Prince St., entre Mercer et Greene Sts, **SoHo**. **M°** Prince St. ☎ 966.5454. Cuisine franco-provençale. La « cantine » de Jean Georges, pour goûter sa délicieuse cuisine.

♦♦♦ **TriBeCa Grill**, 375 Greenwich St. (et Franklin St.) **M°** Franklin St. ☎ 941.3900. *Steackhouse.* Un grand classique de la cuisine américaine à New York, à découvrir entre amis plutôt qu'en tête à tête. Fait partie de l'empire De Niro (les célébrités du quartier y viennent en voisins).

restauration

Les meilleurs « diners »

Les *diners* sont des restaurants en forme de wagons. On y sert des plats simples et bon marché, ainsi qu'une grande variété de sandwichs. La plupart sont ouverts nuit et jour.

● **Manhattan Diner,** 2180 Broadway et W77th St. **M°** 79th St. ☎ 877.7252. Un *diner* classique aux portions généreuses.

● **Brooklyn Diner,** 212 W57th St., entre 7th et 8th Aves. **M°** 57th St. ☎ (212) 581.8900. Surtout pour la façade.

● **Empire Diner,** 210 10th Ave., entre 22nd et 23rd Sts, dans Chelsea. **M°** 23rd St. ☎ 243.2736. Ouv. 24h/24. Le plus connu des *diners*. Indémodable.

● **Tic-Tock Diner,** 481 8th Ave. et 34th St. ☎ 268.8444. Dans l'hôtel New Yorker Ramada *(adresse p. 149)*. ●

♦♦ **The Cupping Room Café**, 359 W Broadway, entre Broome et Grand Sts, **SoHo**. **M°** Canal St. ☎ 925.2898. **Jazz** live les vendredis et samedis soir. Belle salle en brique, cuisine **américaine** simple et généreuse. Apprécié de la clientèle locale *(encadré p. 157)*.

♦♦ ♥ **Kelley & Ping**, 127 Greene St., entre Houston et Spring Sts, **SoHo**. **M°** Prince St. ☎ 228.1212. Un **chinois** moderne dans un loft de SoHo ; les soupes sont un repas à elles seules. Idéal pour le déjeuner. On fait la queue pour commander.

♦♦ **Kin Khao**, 171 Spring St., entre Thompson St. et West Broadway, **SoHo**. **M°** Spring St. ☎ 966.3939. Un **thaï** raffiné, pas trop cher pour dîner entre amis à la bougie.

♦♦ **Lucky Strike**, 59 Grand St., entre West Broadway et Wooster St., **SoHo**. **M°** Canal St. ☎ 941.0479. Un sympathique bistrot français fréquenté par une clientèle de quartier. *Ouv. après minuit.*

Greenwich Village

♦♦♦ **Gotham Bar & Grill**, 12W12th St., entre 5th Ave. et University Pl. **M°** 14th St./Union Sq. ☎ 620.4020. Rés. conseillée. L'une des cinq meilleures tables de la ville. Prix raisonnables au déjeuner. Lunch à 25 $.

♦♦♦ **Pearl Oyster Bar**, 18 Cornelia St., entre W4th et Bleecker Sts. **M°** W4th/ Washington Sq. ☎ 691.8211. **Fruits de mer** et **poissons** fraîchement débarqués du Maine. Service au bar. Petite salle, donc réservez.

♦♦ **Home**, 20 Cornelia St., entre W4th et Bleecker Sts. **M°** W4th St. ☎ 243.9579.

Cuisine familiale américaine. Petit jardin à l'arrière chauffé l'hiver, même par grand froid. Un excellent restaurant de quartier. Romantique.

♦♦ **Tartine**, 253 W11th St., entre W4th St. et Waverly Place. **M°** Christopher St./ Sheridan Sq. ☎229.2611. Cuisine française. Un petit bistrot français sans prétention dans un joli coin du Village. *Pas de cartes bancaires.*

♦♦ **Village Natural**, 46 Greenwich Ave., entre W10th et W11th Sts dans West Village. **M°** Christopher St. ☎727.0968. Bon restaurant macrobiotique. Essayez le brunch.

East Village

♦♦ **Angelica's Kitchen**, 300 E12th St., entre 1st et 2nd Aves. **M°** 14th St./Union Sq., 1st Ave. ☎228.2909. Un végétarien qui dure ! Partagez un *Pantry Plate* mais gardez pour vous seul le *Dragon Bowl*.

♦♦ **Casimir**, 103 Ave. B, entre E6th et E7th Sts. **M°** 2nd Ave. ☎358.9683. Un bistrot français sans prétention. Vin de pays. Petit patio. Dîner seulement.

♦ **Mitali East**, 334 E6th St., entre 1st et 2nd Aves, **Little India**. **M°** Astor Pl. ☎533.2508. Propose une bonne cuisine **indienne** dans un décor absolument kitsch, le tout à des prix très raisonnables.

West Village, Chelsea

♦♦♦ **Markt**, 401 W14th St. et 9th Ave., **Meatpacking District**. **M°** 14th St./8th Ave. ☎727.3314. Cuisine belge. Moules-frites traditionnelles, en terrasse.

♦♦♦ **Pastis**, 9 9th Ave. et Little W12th St., **Meatpacking District**. **M°** 14th St./8th Ave. ☎929.4844. Cuisine française pour ce bistrot branché. Souvent bondé et très bruyant. Terrasse l'été.

♦♦♦ **Spice Market**, 403 W13th St. et 9th Ave., **Meatpacking District**. **M°** 14th St./8th Ave. ☎675.2322. Cuisine d'Asie du Sud. La magie de l'Orient jusque dans l'assiette, dans un décor des *Mille et une Nuits*. Reposant au déjeuner, stimulant au dîner.

♦♦ **Florent**, 69 Gansevoort St., entre Washington et Greenwich Sts, **Meatpacking District**. **M°** 14th St. ☎989.5779. *Ouv. 24h/24*. Bistrot français branché

restauration
Le brunch

L'incontournable brunch du samedi et du dimanche, entre 11h et 14h, est le repas convivial par excellence, à partager en famille ou entre amis. Il s'accompagne souvent de musique et de champagne. Prenez toujours la précaution de réserver.

♦♦ **Alice's Tea Cup**, 102 W73rd St. et Columbus Ave., Upper West Side. **M°** 72nd St. ☎799.3006. Un vrai brunch... mais il faut avoir tout son temps.

♦♦ **Le Pain Quotidien**, 1131 Madison Ave. et 84th St. ☎327.4900. Plusieurs adresses en ville. *Voir p. 159*.

♦♦ **Sarabeth's**, au sous-sol du Whitney Museum, 945 Madison et E75th St., Upper East Side. **M°** 77th St./ Lexington Ave., le métro est assez éloigné ☎(212) 570.3670. Connu pour ses pâtisseries et confitures. Brunch très correct. Plusieurs adresses en ville.

au décor vinyle et à l'ambiance conviviale. Clientèle d'artistes. *Pas de cartes bancaires.*

♦ **Petite Abeille**, 400 W14th St. et 9th Ave. **M°** 14th St./8th Ave. ☎675.6300. Spécialités belges. Déco sur le thème de Tintin. Potages et plats chauds pour déjeuner sur des tables de bois.

Autour de Union Square

♦♦♦ **Blue Water Grill**, 31 Union Square W et E16th St. **M°** 14th St/Union Sq. ☎675.9500. Si vous aimez le genre grande brasserie, le **poisson** et les **fruits de mer**. Terrasse l'été.

♦♦♦♦ **Mesa Grill**, 102 5th Ave., entre W15th et W16th Sts. **M°** 14th St. ☎807.7400. Spécialités **tex-mex** du sud-ouest des États-Unis. Très apprécié des New-Yorkais.

♦♦♦ **Tabla**, 11 Madison Ave. et 25th St. **M°** 23rd St. ☎889.0667. Restaurant à la mode sur deux étages. Décor étonnant pour une cuisine américano-indienne qui l'est aussi. Repas plus chers à l'étage, où, en contrepartie, la cuisine est plus élaborée.

♦♦♦ **Union Square Café**, 21 E16th St. et Union Sq. W. **M°** 14th St./ Union Sq. ☎243.4020. Cuisine américaine. Un classique pour un dîner romantique. Premier étage à éviter toutefois (service très lent).

♦♦ **Zen Palate**, 34 Union Sq. E et E16th St. **M°** 14th St./Union Sq. ☎614.9345. Un restaurant **asiatique végétarien**. Déjeuner raisonnable, plus cher le soir. Pas de couteaux, ni d'alcool (mais on peut apporter sa bouteille).

Midtown

Lower Midtown

♦♦♦♦ **Sparks Steakhouse**, 210 E46th St., entre 2nd et 3rd Aves. **M°** 42nd St./ Grand Central ☎687.4855. *Rés. indispensable. F. dim.* Très célèbre ***steakhouse***. Encore plus célèbre depuis qu'un membre de la mafia a été assassiné à l'entrée en 1985.

♦♦♦ **Asia de Cuba**, 237 Madison Ave., entre E37th et E38th Sts, dans l'hôtel Morgans. **M°** 33rd St. ☎726.7755. Nouvelle cuisine **latino-asiatique** dans un décor minimaliste. La table familiale a été dessinée par Philippe Starck.

♦♦♦ **Hangawi**, 12 E32nd St., entre 5th et Madison Aves. **M°** 33rd St. ☎213.0077. Superbe restaurant **végétarien coréen** ! Cuisine délicate à base d'ingrédients rares, servie dans un décor de temple bouddhiste. Dîner en chaussettes...

♦♦ **Chez Joséphine**, 414 W42nd St., entre 9th et 10th Aves. **M°** 42nd St. ☎594.1925. Cuisine française. Tenu par l'un des fils de Joséphine Baker. Choucroute garnie, boudin noir et bons petits plats.

♦♦ **Osteria Al Doge**, 142 W44th St., entre 6th Ave. et Broadway. **M°** 42nd St. ☎944. 3643. Cuisine **vénitienne**. Pâtes et fruits de mer. Optez pour la salle à l'étage.

♦♦ **United Nations Delegates Dining Room**, E46th St. et 1st Ave. **M°** Grand Central/42nd St. ☎963.7626. À l'ONU. *Ouv. lun.-ven. pour déj. seulement. F. le w.-e. Rés. indispensable.* Présenter une pièce d'identité. Bon buffet avec **cuisines du monde**. Fréquenté par les diplomates.

restauration

Où prendre un petit déjeuner?

Café Europa, 205 W57th St. et 7th Ave. ☎ 977.4030. Grand choix de muffins et de bagels à emporter. Petit déjeuner plus complet au restaurant. Plusieurs adresses en ville.

The Cupping Room Café, 359 W Broadway, entre Broome et Grand Sts. M° Canal St. ☎ 925.2898. Un décor typiquement new-yorkais et de vrais croissants. Fréquenté par les locaux (voir également p. 154).

The Red Flame, 67 W44th St., entre 5th et 6th Aves. Une coffee-house typiquement américaine et pas chère, à la porte des hôtels de la 44th St.

Starbucks, Broadway et 51st St. M° 50th St./Broadway. Une chaîne de coffee-shops pour un petit déjeuner basique : expresso ou café parfumé et muffins. Nombreuses adresses en ville.

♥ **Tic-Tock Diner**, situé dans l'hôtel New Yorker Ramada *(adresse p. 149 et encadré p. 154)*. Un vrai breakfast à l'américaine, pas cher. ●

Upper Midtown

♦♦♦♦ ♥ **Vong**, 200 E54th St., entre Lexington et 3rd Aves. M° Lexington Ave. ☎ 486.9592. Nouvelle cuisine **franco-thaïe** dans un décor enchanteur. L'un des restaurants du chef alsacien **Jean Georges Vongerichten**.

♦♦♦ **Blue Fin**, 1567 Broadway et 47th St., **Theater District**. M° 50th St. ☎ 918.1400. Restaurant de poissons et bar à sushis. Déco *seventies* spectaculaire. Entrée par le hall de l'hôtel W (sur la 47th St.). Jazz à l'étage. Archicomble avant le théâtre.

♦♦♦ **Le Colonial**, 149 E57th St., entre Lexington et 3rd Aves. M° 59th St. ☎ 752.0808. Cuisine **franco-vietnamienne**. Restaurant raffiné au décor exotique. Un classique.

♦♦♦ **Gallagher's Steak House**, 228 W52nd St. et Broadway, au pied du Novotel. M° 50th St. ☎ 245.5336. Cet ancien *speakeasy* (bar clandestin au temps de la Prohibition) datant de 1927 est une institution.

♦♦♦ ♥ **The Modern**, 9 W53rd St. M° 5th Ave./53rd St. ☎ 408.6613. Cuisine française. L'excellente table du MoMa avec vue sur le jardin de sculptures.

♦♦♦ **Rosa Mexicano**, 61 Colombus Ave. et 62nd St. M° 66th St. ☎ 977.7700. Cuisine mexicaine plutôt authentique. *quesadillas de hongos, zarape de pato, huitlacoche...*

♦♦ **Hard Rock Café**, 1501 Broadway et 23rd St. (près du Flatiron Building). M° 23rd St. ☎ 343.3355. Les meilleurs *burgers*. Les ados adorent.

♦♦ **Luxia**, 315 W48th St., entre 8th et 9th Aves, dans le quartier des **théâtres**. M° 50th St./8th Ave. ☎ 957.0800. Cuisine **italienne**. Lumière tamisée, **jardinet**. Idéal avant ou après le spectacle.

restauration
Les meilleurs « delis »

Ces restaurants de spécialités juives, typiquement new-yorkais, proposent une cuisine riche et familiale. La plupart ne ferment que vers 2 h du matin *(voir aussi p. 43)*. Voici les *delis* les plus connus.

Carnegie Deli, 854 7th Ave. et W55th St., non loin de Carnegie Hall, Upper Midtown. **M°** 57th St./7th Ave. ☎757.2245. N'accepte pas les cartes bancaires. Le plus ancien et le plus connu ; Woody Allen y tourna *Broadway Danny Rose*. Blintzes et cheesecakes. Grandes tables conviviales dans la salle principale.

Katz's Delicatessen, 205 E Houston St. et Ludlow St., Lower East Side. **M°** 2nd Ave. ☎254.2246. Existe depuis 1888. Bon mais sans charme.

Stage Deli, 834 7th Ave., entre 53rd et 54th Sts, Upper Midtown. **M°** 53rd St./7th Ave. ☎245.7850. Pour accompagner le sandwich au pastrami, essayez le CelRay soda (une boisson à base de céleri). ●

♦♦ **Maison**, 1700 Broadway et 54th St. **M°** 7th Ave. ☎757.2233. Une brasserie française avec grande terrasse l'été. Cuisine correcte. Pratique quand on arrive de l'aéroport sans savoir où dîner.

♦♦ **Old San Juan**, 765 9th Ave. et W51st St. **M°** 50th St./8th Ave. ☎262.6761. Bonne cuisine **portoricaine**, ce qui est rare à New York, même si plus d'un million de Portoricains y vivent.

♦♦ **Pongsri**, 244 W48th St., entre Broadway et 8th Ave. **M°** 50th St./8th Ave., 50th St./Broadway ☎582. 3392. Un **thaï** agréable pour dîner après le théâtre. Délicieux, rapide, pas trop cher. Autre adresse à Chinatown, *p. 73*.

Uptown

Upper East Side

♦♦♦♦ **Café Boulud**, 20 E76th St., entre 5th et Madison Aves, dans l'hôtel Surrey. **M°** 77th St. ☎772.2600. La « cantine » du chef français Daniel Boulud permet d'aborder la gastronomie en (relative) douceur. Voir aussi ♦♦♦♦ **Daniel**, 60 E65th St., entre Madison et Park Aves. **M°** Lexington Ave. *Rés. longtemps à l'avance.* Décor et cuisine classique. Bien pour un repas d'affaires.

♦♦♦ ♥ **The Boat House in Central Park**, E72nd St. et Park Drive North. **M°** 68th St. ☎517.2233. Cuisine américaine contemporaine. Cadre romantique. Excellent brunch. Cafétéria Boat House.

Upper West Side

♦♦♦ **Hudson Cafeteria**, 356 W58th St., entre 8th et 9th Aves. **M°** 59th St./ Columbus Circle ☎554.6500. Pour un déjeuner agréable dans le patio de l'hôtel Hudson.

♦♦♦ **Isabella's**, 359 Columbus Ave. et W79th St. **M°** 79th St. ☎724.2100. Une terrasse au soleil derrière le musée d'Histoire naturelle. Cuisine américaine et méditerranéenne.

♦♦♦ **Ocean Grill**, 384 Columbus Ave., entre W78th et W79th Sts. **M°** 79th St.

☎579.2300. Un bon restaurant de **poissons**, bisque de homard, crevettes grillées. Service impeccable. Terrasse.

♦♦ **Cafe Ronda**, 249 Columbus Ave., entre 71st et 72nd Sts. **M°** 72nd St. ☎579.9929. Cuisine latino. *Tapas* argentines et *mojitos* bien tassés, à savourer sur un air de salsa. Service cool et bonne ambiance.

♦♦ **Monsoon**, 435 Amsterdam Ave. et W81st St. **M°** 79th St. ☎580.8686. Cuisine vietnamienne de bonne qualité. Les prix sont raisonnables.

♦♦ **Le Pain Quotidien**, 50 W75nd St. et Columbus Ave. **M°** 72nd St. ☎712.9700 Des salades formidables et un excellent brunch. *Voir encadré p. 155.*

♦ **It's a Wrap**, 2012 Broadway, entre 68th et 69th Sts. **M°** 72nd St. ☎362. 7922. Délicieux roulés de légumes ou de viande faits sur place. Idéal pour un déjeuner léger.

Harlem

♦♦♦ **Mo-Bay Uptown**, 17 W125th St., entre la 5th Ave. et Lenox ave. **M°** 125th St. ☎876.9300. *Soul food.* Musique live. *Gospel brunch.*

♦♦ **Amy Ruth's**, 113 W116th St., entre Lenox Ave. et Adam Clayton Powell Blvd. **M°** 116th St. ☎280.8779. *Soul food* très populaire après la messe du dimanche. Prix raisonnables. Essayez le *honey deep fried chicken.*

♦♦ **Bayou**, 308 Lenox Ave. (situé au 1er étage), entre W125th et 126th Sts. **M°** 125th St. ☎426.3800. Cuisine cajun créole. Un restaurant fréquenté en voisin par Bill Clinton.

♦♦ **Sylvia's**, 328 Lenox Ave., entre W126th et W127th Sts. **M°** 125th St. ☎996.0660. Le plus célèbre restaurant de Harlem, devenu très touristique. Attention, *soul food* un peu lourde. À la réservation, demandez la salle principale, tapissée de photos de célébrités, où il y a un peu d'ambiance. On a malheureusement vite fait de vous installer dans une salle annexe sans intérêt.

Brooklyn

♦♦♦♦ **River Café**, 1 Water St., entre Furman et Old Fulton Sts, **Dumbo**. **M°** High St./Brooklyn Bridge ☎(718) 522.5200. **Brunch** *sam. et dim. de 12h à 15h. Tenue correcte conseillée.* Cuisine américaine. Dans une ancienne péniche, sous le pont de Brooklyn, un cadre romantique à souhait, pour les (plus ou moins) grandes occasions ! ♥ **Vue magique** sur Manhattan. Dîner en terrasse l'été. Une adresse à découvrir.

♦♦ **Relish**, 225 Wythe Ave. (et North Third St.) **M°** Bedford St. ☎(718) 963.4546. www.relish.com. Cuisine américaine. Bon brunch le dimanche. Un authentique *diner (encadré p. 154)* à découvrir dans Williamsburg, le quartier qui monte. Clientèle locale d'artistes. Ambiance magique le soir quand les chromes rutilent dans la lumière.

♦♦ **Sea**, 114 N6th St., au S du Williamsburg Bridge. **M°** Bedford ☎(718) 384.8850. Un thaï branché à Williamsburg. Fontaine, Buddha géant et ambiance *lounge* (musique, fauteuils 1970). Dans l'assiette ? Une cuisine tout à fait correcte. Vu dans le film *Garden State.*

carnet d'adresses

Bars et pubs

À New York, les bars sont généralement ouverts jusqu'à 2 h du matin en semaine, et jusqu'à 4 h le week-end. Les bars d'hôtels sont toujours pleins vers 18 h. On s'y donne rendez-vous pour déguster entre collègues ou entre amis un Manhattan ou un Martini blanc.

Downtown Nord

Chibi's Bar, 238 Mott St. (et Prince St.), **NoLIta**. **M°** Spring St., ☎ 274.0025. Un étonnant bar à saké. Jazz live le dim. 19 h-22 h.

Chumley's, 86 Bedford St. (entre Barrow et Grove Sts), **Greenwich Village**. **M°** Christopher St. ☎ 675.4449. *Ouv. t.l.j., n'accepte pas les cartes bancaires*. Bar à bières et dîner seulement. Un authentique *speakeasy (p. 86)* demeuré en l'état.

Fanellis, 94 Prince St. et Mercer St., **SoHo**. **M°** Prince St. ☎ 226.9412. Seul bar du quartier, datant de 1847 et resté intact. Bière et hamburgers. Pas branché.

Flute, 40 E20th St (entre Broadway et Park Aves). Proche de **Gramercy Park**. **M°** 14th St./Union Sq. ☎ 529.7870. Une envie de champagne ? Env. 20 $ la coupe… et 150 variétés.

KGB, 85 E4th St., entre 2nd et 3rd Aves, **East Village**. **M°** Astor Place et 2nd Ave. ☎ 769.6816. Un ancien *speakeasy*. Bons Martini, vodkas, etc.

Mac Sorley's Old Ale House, 15 E17th St., entre 2nd et 3rd Aves, près du Stuyvesant Sq., **East Village**. **M°** Astor Pl. Le plus vieux pub irlandais de la ville (1857).

La Bottega, 88 9th Ave., entre 15th et 16th Sts. **M°** 14th St./8th Ave. ☎ 243.8400. Le sympathique bar en terrasse de l'hôtel Maritime (Chelsea).

Pravda, 281 Lafayette St., entre E Houston et Prince Sts, **NoLIta**. **M°** Prince St., Broadway/Lafayette St. ☎ 226.4696. Un bar-lounge à vodkas très à la mode, à tester !

bars

Cocktails avec vue

Rare View, 303 Lexington Avenue, entre 37th et 38th Sts. **M°** 33rd St. ☎ 481.1989. Terrasse avec vue sur l'Empire State Building.

Rise at Ritz Carlton, 2 West St., Battery Park. **M°** Bowling Green ☎ 790.2626. Pleine vue sur la statue de la Liberté du 14ᵉ ét. de l'hôtel Ritz Carlton.

Mandarin Oriental, 80 Columbus Circle et W60th St. **M°** 59th St./Columbus Circle ☎ 745.8883. Lobby Lounge. Bar chic pour voir et être vu. Pas de réservation possible. ●

Midtown

Blue Bar, 59 W44th St., entre 5th et 6th Aves ☎ 840.6800. **M°** 5th Ave. Le bar de l'hôtel Algonquin, de tous temps fréquenté par les intellectuels.

Hudson Bar, 356 W58th St. **M°** 59th St./Columbus Circle ☎ 554.6000. Dans l'hôtel Hudson, en terrasse, l'été.

Whiskey Bar, dans l'hôtel Paramount, 235 W46th St., entre Broadway et 8th Ave. **M°** 42nd St. ☎ 764.5500. Un lieu de rendez-vous très recherché, dans un décor façon paquebot.

Shopping

New York est un paradis pour le shopping, alors *« Shop 'til you drop »*, comme disent les Américains !

Marchés aux puces

Annex Antique Fair, à l'angle de 6th Ave. et W26th St., **près de Chelsea**. **M°** 23rd St./6th Ave. *Sam. et dim., 9 h-17 h.* Un peu de tout sur ce coin de trottoir.

Avenue C, entre 7th et 10th Sts. **M°** 1st Ave. Dans « Alphabet City », **East Village**. *Le dim.* Le plus étonnant...

Grands magasins

Bloomingdales, Lexington Ave. et E59th St. **M°** 59th/Lexington Ave. Une institution. Pour la famille et la maison.

Barneys, 660 Madison Ave., entre E60th et 61st Sts. **M°** 5th Ave. ☎ 826.8900. Nouvelle adresse de créateurs dans SoHo. Le plus chic et le plus branché aussi. Prix élevés.

Magasins discount et dégriffés

♥ **Century 21**, 22 Cortlandt St., entre Church St. et Broadway. **M°** Cortlandt St. Vêtements, sacs *(r.-d.-c.)* et chaussures *(1er ét.)* de marque dégriffés. Prix très intéressants (-40 à -70 %). Pour tous et aussi pour la maison.

Loehmann's, 101 7th Ave. et W16th St., **Chelsea**. **M°** 18th St. ☎ 352.0856. Pour tous. Vêtements de créateurs dégriffés au dernier étage, dans l'arrière-boutique *(back room)*. L'une des meilleures adresses.

Michael's, 1041 Madison Ave., entre E79th et 80th Sts, **Upper East Side**. Bus M1 à M4 ☎ 737.7273. Vêtements d'occasion située à l'étage.

Épiceries fines

Fairway, 2127 Broadway, entre W74th et 75th Sts **M°** 72nd St. ☎ 595.1888. *Ouv. de 7 h à 1 h du matin.* Le grand supermarché de l'Upper West Side. Produits frais et plats cuisinés.

Zabars, 2245 Broadway, entre W80th et 81st Sts, **Upper West Side**. **M°** 79th St. Très new-yorkais, sympathique, pas trop cher. À ne pas manquer pour qui aime la cuisine... et la foule. Café Zabars juste à côté.

Mode

New York, à l'instar de Milan, de Londres ou de Paris, est une plaque tournante de la mode internationale. Consacrez quelques demi-journées au shopping, et repérez l'indication *clearance* (liquidation) sur les devantures des magasins.

Femmes

Anthropologie, 375 West Broadway, entre Broome et Spring Sts, SoHo. M° Prince St. Vêtements originaux style bohème chic et objets pour la maison.

Banana Republic, 552 Broadway, entre Prince et Spring Sts, SoHo. M° Prince St. Plusieurs adresses en ville. Pour des citadins jeunes et actifs.

Urban Outfitters, 374 6th Ave. et Waverly Pl., Greenwich Village, Downtown N ☎ 677.9350 et 2081 Broadway et W72nd St., Upper West Side. M° 72nd St. ☎ 579.3930. Vêtements originaux pour citadine à la page.

Hommes

Paul Smith, 108 5th Ave. et W16th St., près de Union Sq., Downtown N. **M°** 14th St./Union Sq. ☎ 627.9770. Style mode et élégant.

Today's Man, 529 5th Ave. et E44th St., Lower Midtown. Vêtements classiques ou sportswear à prix très raisonnables. Plusieurs adresses.

Ados

Abercrombie & Fitch, 199 Water et Fulton Sts. **M°** Fulton St./Broadway Nassau. La boutique préférée des ados branchés, mais pas trop fauchés. Jeans, chemises et tee-shirts aux couleurs tendres.

Diesel, 770 Lexington Ave. (et 60th Ave.), Upper East Side. **M°** Lexington Ave. ☎ 308.0055. Taille basse, toiles fânées. La marque préférée des ados. Prix relativement élevés.

Levi's, 536 Broadway et Prince St., SoHo. M° Prince St. ☎ (646) 613.1847.750. Lexington Ave. et E60th St., Upper East Side. **M°** Lexington Ave. ☎ 826.5957. Prix entre 45 et 135 $. Pas de taxe ajoutée. Voir aussi la vintage collection (réédition de modèles anciens).

Old Navy, 610 6th Ave. et W18th St., Chelsea. **M°** 18th St. ☎ 645.0663. Les vêtements dont rêvent les ados à des prix qui ravissent les parents. Plusieurs adresses en ville.

Enfants

Oshkosh B'Gosh, 586 5th Ave. et W47th St. Upper West Side. **M°** 47th/50th Sts ☎ 827.0098. Les fameuses salopettes moins chères qu'en France.

Photo, multimédia

Si vous allez dans une simple boutique d'électronique, marchandez (les prix sont plus ou moins à la tête du client). Les magasins ci-dessous appliquent des tarifs fixes mais le matériel est fiable et il existe souvent un service après-vente.

Best Buy, 60 W23rd St., entre 5th et 6th Sts. **M°** 23rd St. ☎ 366.1373. Toutes les marques d'ordinateurs aux meilleurs prix.

Compusa, 420 5th Ave., entre W37th et 38th Sts, Murray Hill. **M°** 34th St./6th Ave. ☎ 764.6224. www. compusa.com. Choix très vaste.

Sport

Patagonia, 101 Wooster St., entre Prince et Spring Sts, SoHo. **M°** Prince St. Vêtements de sport. Un style et une qualité inimitables, et la marque donne 10 % de ses bénéfices à des œuvres de charité. Laissez-vous tenter…

Sports

Assister à un match

- **Base-ball** : **Yankee Stadium**, 161st St. et River Ave., **Bronx**. **M°** 161st St./ Yankee Stadium ☎ (718) 293.6000. www.yankees.mlb.com. **Shea Stadium**, **Queens** ☎ (718) 507.8499. www.newyork.mets.mlb.com.
- **Basket-ball** : **Madison Square Garden**, 2 Penn Plaza et 7th Ave., entre W31st et 33rd Sts. **M°** 34th St./Penn Station ☎ 465.6741.
- **Football** : **Giants Stadium**, The Meadowlands, East Rutherford, **New Jersey**

visites

Le New York des enfants

• **Intrepid Sea, Air & Space Museum**, Pier 86, W46th St. et 12th Ave. M° 42nd St./8th Ave., puis prendre le bus M42, ou 50th St., puis prendre le bus M50. Le mieux est d'y aller en taxi. Ouv. mar.-ven. 10 h-17 h, sam.-dim. 10 h-19 h, f. lun. Billets en vente jusqu'à 16 h ☎ 245.0072. www.intrepidmuseum.org. Au bord de l'Hudson, un spectaculaire musée de l'aviation militaire installé sur un porte-avions, qui a servi pendant la Seconde Guerre mondiale ainsi qu'en Corée et au Vietnam. *Actuellement fermé pour rénovation.*

• **Little People's Theater**, Courtyard Playhouse, 39 Grove St., près de S7th Ave. M° Christopher St./Sheridan Sq., West Village ☎ 765.9540. De 2 à 9 ans.

• **New York Aquarium**, Surf Ave. et W8th St., Coney Island, Brooklyn. M° W8th St./NY Aquarium ☎ (718) 265.3474. Ouv. t.l.j. 10 h-19 h.

• **Spectacles à Broadway.** *Beauty and the Beast (La Belle et La Bête)*, Lunt-Fontane Theatre, 205 W46th St. ☎ 307.4747. *The Lion King*, New Amsterdam Theatre, 214 W42nd St., entre 7th et 8th Aves. ☎ 307.4747. *The Phantom of the Opera (Le Fantôme de l' opéra)*, Majestic Theatre, 247 W44th St., entre Broadway et 8th Ave. ☎ 239.6200. •

(du Lincoln Tunnel, suivre la route 3 W puis la 120 N) ☎ (201) 935.3900. Le fief de l'équipe de football américain des Giants.

• **Tennis**: **tournoi US Open** *(fin août-déb. sept.)* à Flushing Meadow, dans le **Queens**. Places pour les matchs en soirée de la première semaine faciles à obtenir et peu coûteuses ☎ (718) 760.6200. www.usopen.org.

Vie nocturne

Cinémas

The Screening Room, 54 Varick St., entre Laight St. et Ericsson Pl., **TriBeCa**. **M°** Canal St./Varick St. ☎ 334. 2100. Salle rétro années 1940. Restaurant-cinéma : menu à prix fixe avec ticket de cinéma inclus.

Sony Lincoln Square et IMAX Theater, 1998 Broadway et W68th St., **Upper West Side**. **M°** 66th St. ☎ 336.5000. Vaste complexe de salles et salle avec écran géant (IMAX en 3D).

Sony State Theater, 1540 Broadway et W45th St., **Theater District**. **M°** 42nd St./Times Sq. L'une des meilleures salles de Times Square.

Danse

Brooklyn Academy of Music (BAM), 30 Lafayette Ave., entre St Felix St. et Ashland Pl., **Brooklyn**. **M°** Atlantic Ave. ☎ (718) 636.4100. www.bam.org. Un must de la culture new-yorkaise. La programmation, toujours remarquable, mêle avec bonheur tous les genres du théâtre et de la danse modernes.

Joyce Theater, 175 8th Ave. et W19th St., **Chelsea**. **M°** 18th St. ☎ 242.0800. Superbe programme estival.

Metropolitan Opera House, Lincoln Center, entre W64th St. et Columbus Ave., **Upper West Side**. **M°** 66th St. ☎ 362.6000. www.abt.org. Le fief de l'American Ballet.

New York State Theater, Lincoln Center, entre W63rd St. et Columbus Ave., **Upper West Side**. **M°** 66th St. ☎ 870.5570. www.nycballet.com. Spectacles du New York City Ballet, moins chers que ceux du Met.

Musique

Concerts classiques, opéra

Avery Fisher Hall, Lincoln Center, entre W65th St. et Columbus Ave., **Upper West Side**. **M°** 66th St./Lincoln Center. *Rés.* ☎ 721.6500. Concerts du **New York Philharmonic Orchestra** et Mozart Festival.

Carnegie Hall, 156 W57th St. et 7th Ave., **Upper Midtown**. **M°** 57th St. ☎ 247.7800. www.carnegiehall.org. *Ouv. t.l.j. 11 h-16 h 30*. Visites guidées en semaine (1 h) *à 11 h 30, 14 h, 15 h*. Capacité de 2 804 spectateurs. Guichet *ouv. 11 h-15 h*. L'une des salles les plus prestigieuses du monde. Toscanini, Bernstein, Karajan, mais aussi Frank Sinatra ou les Beatles y ont joué.

Juilliard School of Music, 60 Lincoln Center Plaza et 66th St. **M°** 66th St./Lincoln Center ☎ 799.5000. Concerts gratuits donnés par les enseignants et les élèves de cette prestigieuse école.

Metropolitan Opera House (Met), Lincoln Center, entre W64th St. et Columbus Ave., **Upper West Side**. **M°** 66th St./Lincoln Center ☎ 362.6000. www.metopera.org. Tentez votre chance au guichet pour le soir même ou les jours suivants, places à partir de 25 $.

New York State Theater, Lincoln Center, entre 63rd St. et Columbus Ave., **Upper West Side**. **M°** 66th St./Lincoln Center ☎ 870.5570. Abrite le New York City Ballet et le New York City Opera. Places à partir de 20 $.

Jazz

Apollo Theater, 253 W125th St., entre 7th et 8th Aves, **Harlem**. **M°** 125th St. ☎ 531.5305. La mythique salle de concerts de jazz de Harlem où débutèrent les plus grands. Les célèbres *Amateurs Nights* (Nuits des amateurs) ont lieu *tous les mer.*

spectacle

Billetterie

♥ **Kiosque TKTS**, Times Sq., sur Broadway et 47th St., Theater District. **M°** 42nd St./Times Sq. *Ouv. lun.-sam. 15 h-20 h, dim. 11 h-19 h.* Billets à tarif préférentiel (25 à 50 % de réduction) pour les spectacles du jour : avant 12 h pour les matinées, avant 15 h pour les soirées. Comptez 30 mn d'attente. Cartes bancaires non acceptées.

Rés. avec carte bancaire : Ticketmaster ☎ 307.4100 et 4747. www.ticketmaster.com et Ticket Central ☎ 279.4200. www.ticketcentral.org.

Blue Note, 131 W3rd St., entre 6th Ave. et MacDougal St., **Greenwich Village**. M° W4th St./Washington Sq. ☎475.8592. www.bluenote.net. *Ouv. t.l.j. 19h-4h. Évitez le sam. soir.* Cher, mais jazz de grande qualité. Les stars du jazz s'y produisent.

Café Carlyle, dans le Carlyle Hotel, 35 E76th et Madison Ave., **Upper East Side**. M° 77th St. *Rés.* ☎744.1600. Woody Allen y joue régulièrement.

Cotton Club, 656 W125th St. et Broadway, **Harlem**. M° 125th St. ☎633.7980. Le club mythique de Harlem a rouvert ses portes. Jazz live et *soul food*.

Village Vanguard, 178 7th Ave. S, entre 11th et Perry Sts, **Greenwich Village**. M° 14th St. ☎255.4037. www.villagevanguard.com. *N'accepte pas les cartes bancaires. Dernier spectacle à 23h.* Une institution fondée en 1935 où l'on joue un jazz expérimental. Excellente acoustique.

Spectacles

Les salles de théâtre se concentrent sur **Broadway**, entre 41st et 53rd Sts. Le **Convention and Visitors' Bureau** *(encadré p. 148)* publie tous les trimestres la liste des spectacles et manifestations, que l'on retouve dans les compléments hebdomadaires des journaux new-yorkais. **Places à tarif réduit au ♥ kiosque TKTS**, sur Broadway, au niveau de 47th St. *(encadré ci-contre)*.

Sur Broadway, certaines comédies musicales tiennent l'affiche pendant des années. En voici une sélection.

The Phantom of the Opera, Majestic Theater, 215 W44th St., entre Broadway et 8th Ave. M° 42nd St./Times Sq. ou 42nd St. ☎239.6200. D'après le roman de Gaston Leroux. L'opéra de Paris hanté par un fantôme séduisant mais désespéré. Une histoire romantique, un spectacle envoûtant.

Spamalot, Shubert Theatre, 225 W44th St., entre Broadway et 8th Ave. M° 42nd St. ☎239.6200. Un spectacle burlesque qui fait revivre l'humour cocasse des Monthy Python, popularisés par les films de Terry Gilliam dans les années 1970.

Hairspray, Neil Simon Theatre, 250 W52th St., entre Broadway et 8th Ave. M° 50th St. ☎307.4100. Une jeune fille de Baltimore est subitement propulsée sous les feux des projecteurs. Une comédie joyeuse et tendre, à la chorégraphie survitaminée.

Chicago, Ambassador Theatre, 219 W49th St., entre Broadway et 8th Ave. M° 50th St. ☎239.6200. L'histoire sombre de la sulfureuse *chorus girl* Roxie Hart, dans le Chicago en perdition des années 1930.

The Lion King, New Amsterdam Theatre, 214 W42nd St., entre 7th et 8th Aves. M° 42nd St./Times Sq. ☎307.4747. Le fabuleux bestiaire de Disney sur une musique d'Elton John.

Mamma Mia, Winter Garden Theatre, 1634 Broadway et W50th St. M° 50th St. ☎239.6200. Une histoire à l'eau de rose, rythmée par la musique du groupe suédois Abba.

Wicked, Gershwin Theatre, 222 W51th Street (entre 7th et 8th Aves). M° 50th St. ☎307.4100. L'histoire de deux jeunes filles au royaume d'Oz… ●

pratique

Organiser son voyage

© D. Lefranc/Hoa Qui

S'informer

• **En France**. Office du tourisme USA. Rens. touristiques par tél. du lun. au ven. 9 h 30-13 h et 14 h-17 h 30. Service audiotel ☎ 0.899.70.24.70, www.office-tourisme-usa.com. **Centre d'informations touristiques de l'ambassade**, par tél. uniquement ☎ 0.899.70.24.70.

• **En Belgique**. Visit USA Marketing & Promotion Bureau **Belgique**, PO Box 1, Berchem 3 – 2600 Berchem, www.visitusa.org. Cet organisme est une association privée d'opérateurs touristiques spécialistes des USA.

• **En Suisse**. American Center, Dufourstrasse 101, 8008 Zurich ☎ (01) 422.25.66.

Quand partir ?

Le climat étant très contrasté, choisissez les **intersaisons**, moins extrêmes, mais de courte durée. **Mai** et **juin**, **septembre** et **octobre** sont donc les mois les plus agréables pour visiter New York. **Mi-avril**, le thermomètre fait du yo-yo ; Central Park est en fleurs, mais pluies et bourrasques

◄ En 1883, les deux arches néogothiques du Brooklyn Bridge dominaient la ville.

sont encore fréquentes. L'été s'installe dès le mois de mai. La **canicule** sévit généralement en juillet et en août, avec des pointes à 40 °C et un degré d'hygrométrie élevé. **L'hiver**, le thermomètre descend parfois jusqu'à **-30 °C**. Soyez prévoyant si vous partez en **période de fêtes** *(p. 175)*, et gare à la flambée des prix! En dehors de ces périodes chargées, les **week-ends** sont tranquilles dans une ville désertée par ses habitants. Grands magasins et boutiques sont souvent ouverts le dimanche *(p. 161)*.

Voyage individuel

Centrales de réservation hôtelière

Comptez environ 243 $ sans le petit déjeuner pour une chambre double dans un hôtel convenable et bien situé (prix moyen en 2006).

Accor. Un Sofitel et un Novotel à New York, réservation sur www.accorhotels.com ou ☎ 0.825.88.00.00.

Hilton. Huit établissements à New York. Réservation sur www.hilton.com ou ☎ 0.800.90.75.46 (gratuit).

Marriott. Sept établissements en centre-ville et près des aéroports. www.marriott.com ou ☎ 0.800.90.83.33 (gratuit).

Hotel Discount. Réductions jusqu'à 65 % sur les tarifs réguliers. Réservation sur www.hoteldiscount.com ou ☎ 0.820.000.377.

Chez l'habitant

Une formule moins onéreuse. Compter 110 à 135 € environ par nuit pour une chambre double chez l'habitant et à partir de 200 € environ par nuit pour la location d'un appartement de deux pièces.

Tourisme chez l'habitant. Centrale de réservation française : pour des chambres d'hôtes et la location d'appartements ☎ 0.892.680.336, www.tch-voyages.com.

Manhattan Getaways. Une association bien connue des New-Yorkais qui offre une sélection de chambres chez l'habitant et d'appartements. Informations : ☎ 001 (212) 956.2010, www.manhattangetaways.com.

Échange de maisons et d'appartements

Homelink International, 19, cours des Arts-et-Métiers, 13100 Aix-en-Provence ☎ 04.42.27.14.14, www.homelink.fr.

Intervac, 230, bd Voltaire, 75011 Paris ☎ 01.43.70.21.22, www. intervac.org.

HomeExchange.com Inc, PO Box 787, Hermosa Beach, CA 90254 ☎ 800.877.8723 (gratuit), www.homeexchange.com.

Pour les jeunes

Compter 26 € environ par nuit et par personne pour un lit en dortoir dans une auberge de jeunesse.

Fuaj (Fédération unie des auberges de jeunesse), 27, rue Pajol, 75018 Paris

températures

Mois	J	F	M	A	M	J	J	A	S	O	N	D
Maxi (C°)	3	4	9	16	22	27	29	29	25	19	12	6
Mini (C°)	− 3	− 3	1	7	12	17	19	19	16	10	5	− 1

☎ 01.44.89.87.27, www.fuaj.org. **Conditions** : avoir la carte d'adhérent des Fuaj : **15,30** € pour les plus de 26 ans ; **10,70** € pour les moins de 26 ans. Une seule adresse à New York : 891 Amsterdam Ave. et W103rd St. ☎ 001 (212) 932.2300, www.hinewyork.org.

YMCA (Young Men Christian Association). Réseau d'auberges pour tous les âges. Pas de dortoirs, mais des chambres individuelles avec TV et air conditionné, sanitaires en commun. Il y a en trois à New York dont deux bien situées à Manhattan et une dans le Queens, intéressante si l'on est en transit car proche des aéroports. Cinq adresses également dans Brooklyn. Informations : www.ymca.net.

Voyage organisé

À partir de 1 400 € TTC le séjour de 5 jours avec l'avion en vol direct depuis Paris, 4 nuits en demi-pension dans un hôtel 4* au centre de New York, les transferts depuis l'aéroport et une visite par jour.

Spécialistes

Backroads, 14, pl. Denfert-Rochereau, 75014 Paris ☎ 01.43.22.65.65, www.backroads.fr. Une équipe d'artisans du voyage qui sillonnent l'Amérique depuis plus de vingt ans.

La Compagnie des États-Unis, 3, av. de l'Opéra, 75001 Paris ☎ 01.55.35.33.55, www.compagniesdumonde.com. C'est le spécialiste de la destination avec des forfaits haut de gamme et des week-ends originaux.

Comptoir des États-Unis, 344, rue Saint-Jacques, 75005 Paris ☎ 0.892. 238.438, www.comptoir.fr. Séjours individuels à la carte.

Directours, 90, av. des Champs-Élysées, 75008 Paris ☎ 01.45.62.62.62, www.directours.com. Prix très attractifs pour toutes les formules de voyage possibles.

La Maison des États-Unis, 3, rue Cassette, 75006 Paris ☎ 01.53.63.13.43, www.maisondesetatsunis.com. Le spécialiste des États-Unis.

Nouvelles Frontières ☎ 0.825.000.747, www.nouvelles-frontieres.fr. Large sélection d'hôtels à tous les prix et grand choix de formules : du simple billet d'avion au voyage à la carte. A sa propre agence à New York.

Vacances Air Transat ☎ 0.825.892.000, www.vacancesairtransat.fr. Pour de nombreuses formules de séjours.

Vacances Fabuleuses, 36, rue Saint-Pétersbourg, 75008 Paris ☎ 01.42.85.65.00, www.vacancesfabuleuses.fr. Grand choix de vols et de voyages à la carte.

Voyageurs du Monde (aux États-Unis et au Canada), 55, rue Sainte-Anne, 75002 Paris ☎ 0.892.23.63.63, www.vdm.com. Pour des circuits, autotours, voyages à la carte.

Généralistes

Jet Tours ☎ 0.825.30.20.10, www.jettours.com. Offre variée : séjours, voyages à la carte, circuits accompagnés...

Kuoni ☎ 0.820.05.15.15, www.kuoni.fr. Voyages de qualité plutôt haut de gamme.

Pour les jeunes

STA Travel, www.statravel.com. Spécialiste dans l'organisation de voyages pour les étudiants : vols à bas prix, *pass* pour les trains, hôtels pour les petits budgets...

Comment partir ?

Par avion

Il existe une différence de prix entre vols directs et vols avec escale. Évitez toutefois ces derniers pour lesquels il faut compter 10 h à 13 h de voyage.

Compagnies aériennes

Seules les compagnies proposant des vols sans escale sur New York sont ici citées. Durée du vol : environ 8 h à l'aller, 7 h au retour. Tarifs : à partir de 400 € TTC l'aller-retour.

● **Depuis la France.** Air France, renseignements et centrale de réservation ☎36.54, www.airfrance.fr. Au départ de Roissy-Charles-de-Gaulle, 5 à 6 vols directs/j. dont 2 en partenariat avec Delta Airlines vers Kennedy Airport (JFK), à 24 km à l'est de Manhattan. Et 1 à 2 vols/j. vers l'aéroport de Newark (EWR), dans le New Jersey, à 26 km à l'ouest de Manhattan. Également en partenariat avec Delta Airlines, 1 ou 2 vols/j. (sauf le lundi) au départ de Nice. **American Airlines,** centrale de réservation ☎0.810.872.872, www.aa.com. 2 vols/j. au départ de Roissy-CDG vers JFK. 6 vols/j. au départ de Londres-Heathrow vers JFK. **Continental Airlines,** 4, rue du Faubourg-Montmartre, 75009 Paris ☎01.71.23.03.35 www.continental.com. 2 vols/j. au départ de Roissy-CDG 2 vers EWR. **Delta Airlines,** 119, av. des Champs-Élysées, 75008 Paris ☎0.800.35.40.80 (gratuit), www.delta.com. 7 vols/j. au départ de Roissy-CDG dont 5 en partenariat avec Air France vers JFK et Newark. 1 vol direct/j. au départ de Nice vers Newark (sauf en hiver).

● **Depuis la Belgique.** Continental Airlines, av. Louise 240, 1050 Bruxelles ☎(02) 643.39.39, www.continental.com. 1 vol/j. vers l'aéroport de Newark au départ de Bruxelles. **Delta Airlines,** av. Louise 149, 1050 Bruxelles ☎(02) 711.97.99, www.delta.com. 1 vol/j. au départ de Bruxelles pour l'aéroport de Newark.

● **Depuis la Suisse.** Continental Airlines ☎022.417.72.80, www.continental.com. 1 vol/j. pour l'aéroport de Newark au départ de Genève.

VOLS À TARIFS NÉGOCIÉS

Les premiers prix pour les vols directs tournent autour de 350 € TTC l'aller-retour au départ de Paris, hors vacances scolaires. On peut aussi trouver des promotions très ponctuelles à partir de 250 €. Pendant les vacances scolaires, on ne peut guère espérer trouver de tarifs en dessous de 560 € TTC l'aller-retour au départ de Paris.

Anyway. Une cinquantaine d'offres par départ. Accès aux charters de Look Voyages. Un espace réservé aux étudiants. Élargit également son offre aux hôtels et aux locations de voiture, proposés à tarifs négociés. Achat en ligne sur www.anyway.com ou par tél. ☎0.892.302.301.

Degriftour. Belles occasions de dernière minute. Achat en ligne www.fr.lastminute.com ou par tél. ☎0.892.705.000.

Easyvoyages. www.easyvols.com est un portail d'informations touristiques rassemblant les offres d'Opodo, Anyway, Lastminute, Go Voyages, Directours et Ebookers.

Go Voyages. www.govoyages.com est un des moteurs de recherche les plus compétitifs du marché. Départs de France, Suisse, Belgique, Canada. Propose depuis peu des chambres d'hôtel. Achat possible en ligne ou par tél. ☎0.892.230.200 ou encore en agence de voyages.

Nouvelles Frontières. Mise aux enchères des invendus sur le Net tous les mardis de 11h30 à 13h30 et de 16h30 à 18h30: www.nouvelles-frontieres.fr.

Formalités

Assurance et assistance

L'assurance rembourse des frais occasionnés par l'annulation d'un voyage, la perte de bagages, des accidents ayant porté un préjudice matériel à autrui. **L'assistance** recouvre rapatriement et assistance médicale sur place.

Certaines cartes bancaires internationales couvrent certains des risques liés au voyage (l'**assurance annulation** est rarement prise en compte), à **condition d'avoir réglé ce dernier au moyen de la carte en question.**

COMPAGNIES

AVA (Assurance Voyages & Assistance) ☎01.53.20.44.20, www.ava.fr. Assurances et assistances à l'année très

budget

Voici quelques exemples de tarifs pratiqués à New York, à titre indicatif.

- **Taxi**. Trajet JFK Airport/Manhattan : 45 $ (plus la nuit) + 4,50 $ (péage) + 15 à 20 % de pourboire. La Guardia Airport/Manhattan : env. 30 $ + péage + pourboire. Newark Airport/Manhattan : 40 à 60 $ + péage + pourboire. Prise en charge dans Manhattan : 2,50 $. Comptez 1 $ supplémentaire par course entre 16 h et 20 h en semaine et 50 cts en plus entre 20 h et 6 h du matin.
- **Transports en commun**. Un trajet en métro ou en bus coûte actuellement 2 $. Trajets illimités avec la Metrocard (forfait 1 journée : 7 $; 1 semaine : 24 $).
- **Repas**. Une salade dans un deli : environ 7 $ la livre. Un petit déjeuner : entre 5 et 15 $. Environ 25 $ pour un déjeuner et 40 $ pour un dîner au restaurant. Table gastronomique : à partir de 60 $ pour un déjeuner et le double pour un dîner.
- **Musées**. Prix d'entrée : entre 5 et 20 $.
- **Commerces**. 1 kg de viande : 10 à 15 $. 1 l de lait : 1,25 $ environ. 1 l d'eau minérale : environ 1,90 $. 1 paquet de cigarettes : 7 $. 1 gallon de super : environ 1,72 $.
- **Timbres**. Carte postale pour la France : 70 cts. Tarif lettre : 80 cts.

Les prix sont toujours mentionnés hors taxes (ajoutez 8,625 %), aussi bien dans les boutiques, où la taxe sera ajoutée à la caisse, que dans les hôtels, restaurants, etc. Les taxes varient suivant les États et les villes. Elles ne sont pas récupérables. •

performantes pour ceux qui voyagent souvent. Carte spéciale pour les USA tant pour la voiture que pour la santé (jusqu'à 500 000 € de remboursement sans franchise).

Elvia ☎ 01.42.99.82.81, www.elvia.fr. Le spécialiste des assurances et assistances de voyage.

Europ Assistance ☎ 01.41.85.91.44, www.europ-assistance.fr. Réputé pour ses assistances aux véhicules, a développé une gamme de produits adaptés au tourisme lointain.

Passeport et visa

Pour voyager aux États-Unis sans visa, les ressortissants français doivent disposer d'un **passeport à lecture optique** délivré avant le 26 octobre 2005 ou d'un passeport nouveau modèle **avec identifiants biométriques** sur puce électronique. Ce passeport et votre billet aller-retour suffisent si vous séjournez moins de trois mois aux États-Unis.

Voir le site du ministère des Affaires étrangères : www.diplomatie.gouv.fr.

Services consulaires

- **En France**. 2, rue Saint-Florentin, 75382 Paris Cedex 01 ☎ 01.43.12.22.22, www.amb-usa.fr ; place Varian-Fry, 13006 Marseille ☎ 04.91.54.92.00. Pour les informations relatives aux visas de séjour temporaire : ☎ 0.810.26.46.26.
- **En Belgique**. Bd du Régent 27, B-1000 Bruxelles ☎ (02) 508. 21.11, http://french.belgium.usembassy.gov.
- **En Suisse**. Jubiläumsstrasse 95, 3001 Bern ☎ 0.900.87.84.72.

▶ SUR INTERNET
www.amb-usa.fr. Site de l'ambassade américaine en France (avec formulaire de demande de visa).

Douane

Sont exempts de droits de douane, à l'entrée comme à la sortie, les objets personnels (vêtements, articles de toilette, appareils photo achetés avant le voyage, équipements sportifs). Les plus de 21 ans peuvent importer 1 l d'alcool, 200 cigarettes (ou 50 cigares, ou l'équivalent en tabac). Si vous devez prendre des médicaments contenant des substances entraînant une accoutumance, n'apportez que la quantité nécessaire, identifiée de manière appropriée, avec une ordonnance traduite en anglais. L'importation d'animaux, de produits alimentaires et de plantes est soumise à de nombreuses restrictions. Rens. auprès du consulat des États-Unis (ci-contre) et au Centre de renseignements des douanes, informations réglementaires, 84, rue d'Hauteville, 75010 Paris ☎ 0.825.308.263, www.douane.gouv.fr.

Argent

Monnaie

Le dollar américain se présente sous forme de billets de 1, 2, 5, 10, 20, 50, 100, 500 et 1 000 $. Les coupures de 20 $ sont plus faciles à échanger. Il existe des pièces *(coins)* de 1 *cent* (*penny*), 5 *cents*, 10 *cents* (*dime*), 20 *cents*, 25 *cents (quarter)*, 50 *cents* (*half-dollar*) et 1 dollar.
Une centaine de dollars en liquide est nécessaire pour faire face aux premières dépenses à l'arrivée. Le change en ville est plus intéressant qu'à l'aéroport. Pour les adresses, *voir p. 146*.
En mars 2006, 1 US $ est égal à 0,80 € environ.

Cartes bancaires

Visa International, Eurocard, Mastercard, American Express sont d'un usage courant; elles sont acceptées partout et permettent de retirer de l'argent liquide dans les distributeurs automatiques ATM. En outre, elles sont **indispensables** pour louer une voiture, réserver un billet d'avion, une chambre d'hôtel, une place de théâtre...

• **En cas de perte ou de vol.** Avant le départ, se procurer auprès de son agence le numéro à composer pour faire opposition depuis l'étranger. De France, vous pouvez appeler le ☎ 0.892.705.705.

Carte Visa ☎ 0.800.90.11.79 (gratuit) ou numéro américain (PCV) ☎ 01133 + 1.410.581.38.36 (interlocuteurs français), www.visa.com. **American Express.** France ☎ 01.47.77.72.00, www.americanexpress.com/france. **Mastercard.** France ☎ 01.45.67.84.84, www.mastercardfrance.com.

Chèques de voyage

Ils sont acceptés pratiquement partout. Demandez des coupures de 20 $ pour les écouler facilement.

Santé

• **Vaccins.** Aucun n'est obligatoire.

• **Précautions sanitaires.** Emportez vos médicaments habituels avec une ordonnance en anglais. Une bonne assurance est recommandée (prise en charge des soins et des frais de rapatriement) car le coût des soins est particulièrement élevé aux États-Unis. •

Sur place

© B. Rieger/Hémisphères Images

Arrivée

- **Kennedy International Airport** (JFK). C'est l'aéroport principal, situé à 24 km à l'est de Manhattan. Comptez env. de 45 mn à 1h de trajet en **taxi** pour rejoindre Manhattan. Tarif forfaitaire de 45 $ en journée (un peu plus la nuit) + péages et pourboires. Évitez de monter dans des taxis non recensés à la sortie des terminaux d'arrivée.

Comptez env. 1 h 15 de trajet si vous empruntez les **navettes** *(shuttle)*, plus avantageuses que le taxi si vous voyagez seul (env. 17 $ l'aller simple). Certaines vous déposeront à la porte de votre hôtel, sur demande. Elles relient JFK à **Grand Central Terminal** et **Port Authority Terminal** *(dép. ttes les 20 mn)*.

L'aéroport JFK est relié par le Air Train aux lignes A, E, J et Z du métro (Jamaica Station); comptez 5 $ l'aller simple + 2 $ le ticket de métro *(1h-1h30 pour rejoindre Manhattan)*.

JFK Express Train propose une combinaison **bus-métro**: un bus express *(shuttle bus)* gratuit relie JFK Airport à **Howard Beach**, d'où vous prendrez la ligne A du métro qui dessert 7 stations dans Manhattan. Ce service, le plus économique, fonctionne t.l.j. de 5 h à minuit *(dép. ttes les 20 mn ; env. 1 h)*.

- **Newark International Airport** (EWR). Situé à 26 km à l'ouest de Manhattan, dans le New Jersey. Les navettes Gray Line Air Shuttle desservent différents hôtels à la demande des passagers (env. 19 $ l'aller simple). En taxi, le trajet dure env. 45 mn (40 à 60 $ + péage + pourboire). Depuis peu, un train relie l'aéroport de Newark à la gare de Penn Station dans Manhattan (NJ transit Train Newark (EWR) : 12 $, *30 mn*).
- **La Guardia Airport** (LGA). À 13 km au nord-est de Manhattan, dans le Queens. Il est essentiellement réservé aux vols domestiques (quelques vols internationaux). L'aéroport est desservi par les navettes Gray Line Air Shuttle et Carey Airport Express (env. 15 $). Un bus de ligne (New York Airport Bus) dessert **Grand Central Terminal** *(dép. ttes les 20 mn)*. Le taxi *(30 mn de trajet)* coûte env. 30 $.

Fêtes et manifestations

New York est très attachée à ses traditions : ses fêtes sont si nombreuses qu'on ne peut toutes les citer. Les dates pouvant changer, consultez la presse locale *(Time Out)* ou le **Convention and Visitors' Bureau** *(encadré p. 148)*.

- **Janvier**. **Chinese New Year's Festival** *(janv. ou fév., selon le calendrier lunaire)* : Nouvel An chinois. Cavalcade et feu d'artifice à Chinatown.
- **Mars**. **St Patrick's Day** *(17 mars)* : fête des Irlandais catholiques, vêtus de vert, couleur de l'Irlande. Sur 5th Ave. (entre 44th et 86th Sts). Messes à la cathédrale St Patrick.
- **Avril**. **Easter Parade** *(dim. de Pâques)* : défilé sur 5th Ave. **Concert de Pâques** aux Cloisters, le musée des Cloîtres. **Earth Day** *(du 20 au 23)* : journée de la Terre, Parade for the Planet, sur 5th Ave. *(p. 34)*.
- **Mai**. **Memorial Day** *(dern. w.-e. du mois)* : fête du Souvenir.
- **Juin**. **Museum Mile Festival** *(déb. du mois)* : fête des grands musées de 5th Ave., dans Upper East Side. Entrée gratuite. **Gay Pride** *(fin juin)* : défilé sur 5th Ave.
- **Juillet**. **Shakespeare Festival** *(juil.-août)* au théâtre en plein air de Central Park *(entrée la plus proche de W81st St.)* : presque tous les soirs à 20 h, deux pièces différentes. Places gratuites mais difficiles à obtenir. **Independence Day** *(le 4)* : feu d'artifice sur l'Hudson pour célébrer la fête de l'Indépendance (l'emplacement du spectacle varie souvent ; *rens. dans les journaux*). **Mozart Festival** *(mi-juil.-fin août)* : concerts gratuits en plein air au Lincoln Center, sur la plaza et dans Damrosch Park, à côté de l'Opéra (MET).
- **Août**. **Harlem Week Celebration** *(fin juil.-déb. août)* : danse, musique et autres animations. **Charlie Parker Festival** *(fin du mois)*, à Tompkins Square Park, dans l'East Village, près de l'ancien appartement du saxophoniste : concert gratuit dans le parc.
- **Septembre**. **Labor Day** *(1er lun.)* : équivalent de la fête du Travail en France ; **carnaval antillais** à Brooklyn sur Eastern Pkwy ; **défilé de travestis** dans East ou West Village ; le lieu change chaque année. **Feast of St Gennaro** *(sem. autour du 19)* : fête des Italiens, procession dans Little Italy, sur Mulberry St.
- **Octobre**. **Columbus Day** *(2e lun.)* : commémoration de l'anniversaire de la découverte de l'Amérique par Christophe Colomb (le 12 octobre 1492). **Greenwich Village Halloween Parade** *(le 31)*.
- **Novembre**. **Thanksgiving Day** *(4e jeu.)* : parade de Central Park vers le grand magasin **Macy's** *(p. 35)*.
- **Décembre**. **Illuminations de Noël** *(à partir du 4)* : surtout au Rockefeller Center et sur Park Ave. **First Night Festival**, Saint-Sylvestre *(le*

31 déc.): feux d'artifice à Central Park et South St. Seaport. **New Year's Eve Ball Drop**: fête à Times Sq. La foule égrène en chœur les douze coups de minuit, tandis que la célèbre boule lumineuse descend sur l'immeuble du *Times (p. 35)*.

Hébergement

New York bénéficie d'une capacité hôtelière d'environ 70 500 chambres pour quelque **300 hôtels.** Comptez un minimum de 150 $ par jour pour une chambre simplement correcte. Le prix moyen pour une chambre double à New York est de 243 $ (en 2005), sans taxes, ni petit déjeuner. Le prix d'un quatre étoiles peut considérablement varier selon les dates choisies. Le taux de remplissage annuel est très élevé (autour de 80 %), en raison des voyages d'affaires et des congrès.

Certaines périodes sont particulièrement chargées: à **Pâques**, à l'occasion du **Marathon** de New York *(mi-nov.)*, de **Thanksgiving** *(fin nov.)* ou encore pour le shopping des fêtes de **fin d'année.** Les hôtels de **luxe** se concentrent dans Upper Midtown *(p. 157)*. Autres possibilités d'hébergement: Bed & Breakfast *(p. 151)* ou encore, pour les étudiants, le YMCA *(p. 152)*.

pratique City Pass

Cette carte, valable neuf jours (53 $, 44 $ jusqu'à 17 ans), est un **coupe-file** qui permet de bénéficier d'une **réduction** (50 %) pour la visite de certains grands **sites touristiques**: Empire State Building, Guggenheim Museum, MoMA (dont l'entrée en plein tarif est à 20 $!), American Museum of Natural History, Circle Line Cruise.
Attention, la carte ne comprend pas la visite du Met. Elle est disponible dans les musées, le métro et au Visitors' Bureau *(p. 148)*. ●

Hôtel

● **Réservation et tarifs.** Précisez, lors de la réservation: chambre fumeur ou non-fumeur *(smoking/ no-smoking room)*, très grand lit *(king size bed)* ou lits jumeaux *(twin beds)*. Le prix de la chambre est annoncé **hors taxes** (13,625 % + 2 $ par jour) et **petit déjeuner non inclus** (comptez de 10 à 15 $ selon la catégorie de l'hôtel). Il est conseillé de le prendre à l'extérieur *(voir p. 157)*.

La plupart des hôtels offrent des **prix réduits «week-end»**. Les **enfants** peuvent en général partager la chambre de leurs parents sans supplément de prix. À la réservation, demandez un lit supplémentaire *(extra bed)* ou un berceau *(crib)*.

● **Check in, check out.** L'arrivée dans la chambre *(check in)* se fait vers 15 h. Prévenez l'hôtel si vous arrivez après 18 h *(late check in)*, votre chambre risquant alors d'être attribuée à un autre client. Donnez 1 $ minimum par bagage au *bell captain*. Le **départ** *(check out)* doit s'effectuer vers midi. Si vous souhaitez partir plus tard, vous pouvez éventuellement négocier un *late check out* si l'hôtel n'est pas complet le soir même. La veille de votre départ, demandez au concierge de réserver une navette pour l'aéroport *(p. 147)* ou prenez un taxi: à partir de 2 personnes, c'est plus intéressant et surtout plus rapide.

Quelques conseils. Évitez de **téléphoner** de votre chambre d'hôtel: les tarifs sont libres et élevés. Les tentatives infructueuses pour joindre un correspondant absent vous seront facturées après quelques sonneries, même s'il s'agit d'un numéro Vert (800).

Bed & Breakfast

Le B & B a souvent le charme d'une maison bourgeoise. Les tarifs, pas toujours bon marché, se situent entre **100 et 300 $ la nuit**, avec parfois l'obligation de séjourner plusieurs jours d'affilée.

Certains n'acceptent pas les enfants ni les animaux. Vérifiez si la chambre est équipée d'une salle de bains, d'une télévision et d'un téléphone.

Le **petit déjeuner est compris** dans le prix de la chambre et se prend généralement en commun.

YMCA

Le confort simple au meilleur prix. Le YMCA d'Upper West Side, à deux pas de Central Park, dans un quartier huppé, est recommandé. Pour les étudiants qui recherchent un hébergement comparable à celui des auberges de jeunesse à l'européenne. *Pour les adresses, voir p. 152.*

Heure locale

New York est dans le fuseau horaire de l'Eastern Standard Time (EST). Quand il est midi à Paris, il est 6 h du matin à New York.

Du 1er dimanche d'avril au dernier d'octobre, l'heure d'été (*Daylight Saving Time*; DST) est en vigueur; les pendules sont avancées d'1 h.

Horaires

- **Banques:** ouv. du lun. au ven. de 9 h à 15 h.
- **Bus et métros:** fonctionnent 24 h/24 (sauf certaines lignes et stations).
- **Grands magasins:** ouv. du lun. au sam., certains le dim., de 9 h à 18 h; jusqu'à 21 h le jeu.
- **Magasins:** ouv. du lun. au sam. de 10 h à 18 h pour la plupart, ainsi que le dim. Les boutiques de matériel électronique sont souvent fermées le samedi.
- **Musées**: horaires variables. **Nocturne** hebdomadaire dans certains musées.

Médias

- **Journaux.** Lisez la page week-end du *New York Times*, qui sort le vendredi; elle contient toutes les informations essentielles sur **les spectacles et les loisirs.** Pour les boulimiques, l'édition dominicale, qui paraît le samedi vers 21 h, pèse plus de 1 kg. Citons encore *Time Out* (excellent programme culturel avec toutes les nouveautés).

Disponible également dans les hôtels: ***Where*** (mensuel gratuit), pour les horaires de musées et les adresses de restaurants.

Musées

La plupart des musées sont **fermés le lundi et les jours fériés.** Certains ont une **nocturne** hebdomadaire (consultez les horaires dans les journaux *Time Out* ou *Where*).

Le prix d'entrée moyen est de **10 $** (MoMA 20 $); si l'entrée est libre, on vous suggère de faire une **donation** *(suggested donation)* de 5 $ minimum.

Poids, mesures, températures

- **Capacités:**

1 *pint* = 0,473 l;
1 *quart* = 0,946 l;
1 *gallon* = 3,785 l.

- **Longueurs:**

1 *mile* = 1,609 km;
1 *yard* = 91,4 cm;
1 *foot* (*feet* au pluriel) = 30,5 cm;
1 *inch* = 2,54 cm.

Celsius vs Fahrenheit

Degrés Celsius (°C)	-5	0	10	15	20	30	35	40
Degrés Fahrenheit (°F)	24	32	50	59	68	86	95	104

• **Poids** : 1 *ounce* = 28,35 g ; 1 *pound* = 454 g.

• **Températures** : pour convertir les Fahrenheit (°F) en Celsius (°C), soustraire 32 puis diviser par 1,8 ; les °C en °F, multiplier par 1,8 puis ajouter 32. *Tableau page précédente.*

Politesse et usages

Attention : il est désormais strictement interdit de fumer dans tous les lieux publics, ainsi que dans les bars et restaurants à New York. Seule solution, fumer dehors !

Pourboires et taxes

• **Taxes**. Aux États-Unis, les taxes *(taxes)* varient selon le produit consommé, l'État et la ville. Sachez que le prix est toujours **affiché hors taxes.** À New York, la taxe s'élève à **8,625 %** pour les biens de consommation, dans les bars et les restaurants. Elle est de 13,625 % dans les hôtels.

• **Pourboires**. Dans les **restaurants et les bars**, le service n'est jamais compris. Il est d'usage d'ajouter **15 à 20 %** au montant de l'addition pour le service *(gratuity)*. Un truc pour le calculer facilement : doublez le montant de la taxe, qui est inscrit au bas de la facture *(check)*. Si vous payez avec une **carte bancaire** : soit vous payez tout par carte (addition et pourboire) ; dans ce cas, n'oubliez pas d'indiquer vous-même le montant du pourboire sur le bordereau (dans la case *Gratuity*) ainsi que le total avant de signer (quelqu'un pourrait majorer la somme totale à votre insu) ; soit vous laissez le pourboire en liquide, et vous indiquez le total de la facture au bas du bordereau.

Sécurité

La sécurité en ville s'est notablement améliorée pendant les deux mandats du maire Rudolph Giuliani (1993-2001) *(p. 28)*. Après 22 h, limitez-vous aux quartiers situés au sud de Central Park. **À éviter la nuit** : les rues situées au nord de 110th St., Central Park, Harlem, le Bronx et Brooklyn (Bedford-Stuyvesant) ou certains secteurs du Lower East Side et de l'East Village, à moins d'être en voiture ou en groupe. Certains quartiers d'affaires sont également déserts le soir et le week-end.

Shopping

À New York on trouve tout, au meilleur prix, à condition d'aimer marcher et de prendre son temps pour comparer, voire marchander. Beaucoup d'articles vous paraîtront bien moins chers qu'en Europe, mais n'oubliez pas qu'une taxe de 8,625 % sera ajoutée au prix affiché. *Informations pratiques p. 160.*

• **Les bonnes affaires**. Les **chaussures** (notamment Timberland et Church), les tee-shirts, les **jeans** Levi's (pas de taxe ajoutée), les salopettes Oshkosh pour les enfants, certains produits de beauté (Clinique, Estée Lauder), les bagages, les lunettes de soleil (Ray Ban), les **sous-vêtements** (Victoria's Secret et Calvin Klein notamment), les **articles de sport** comme les rollers et l'équipement de golf, les **diamants** et les bijoux en or (47th St. ; 5th-6th Aves), **le linge de maison** (les dimensions des draps sont différentes aux États-Unis). Pour les bonnes affaires, les deux meilleures adresses sont Loehmann's et Century 21 *(p. 161)*.

• **À marchander**. Le **matériel électronique** (appareils numériques, baladeurs MP3, ordinateurs portables, assistants personnels type Palm Pilot, etc.) est particulièrement bon marché à New York et plus fiable qu'à Hong Kong. Les boutiques sont concentrées sur Broadway, entre 30th et 45th Sts. Avant de partir aux États-Unis, repérez le modèle qui vous intéresse et notez son prix. Sur place, marchandez pour payer environ **35 % moins cher** ! Assurez-vous que le modèle choisi peut fonctionner en

Europe ou achetez un adaptateur. Le **matériel informatique** est livré avec un clavier américain; demandez un clavier européen. Des copies d'articles de luxe sont vendues sur Canal St., mais la loi française interdit formellement l'importation de contrefaçons.

Téléphone

Le réseau téléphonique américain est exploité par des compagnies privées. Il est organisé par *area codes* (indicatifs). Le **coût** d'une communication urbaine est d'environ 25 cents pour 5 mn.

Très pratiques, les **cartes téléphoniques** *(phone cards)* prépayées sont en vente dans les kiosques et les offices de tourisme. Elles sont valables pour les appels locaux et internationaux. Depuis une cabine téléphonique ou un téléphone privé, tapez le code inscrit derrière la carte; un message vocal vous indiquera le montant du crédit dont vous disposez et la marche à suivre.

Comment téléphoner?

Pour l'internationales

- **De l'Europe vers New York**. Composez le 00 + 1 + indicatif local *(area code)*: 212 pour Manhattan; 718 pour le Bronx, Brooklyn, le Queens et Staten Island + le numéro à 7 chiffres de votre correspondant.

- **De New York vers l'Europe**. Pour appeler la **France**, composez le 011 + 33 + code régional + numéro de votre correspondant; la **Belgique**, le 011 + 32; la **Suisse**, le 011 + 41; le Canada, le 011 + 11.

Le décalage horaire est de 6 h: quand il est midi à Paris, il est 6 h du matin à New York.

Communications intérieures

Aux États-Unis, les numéros se composent de 7 chiffres, précédés des 3 chiffres correspondant à l'indicatif local *(area code)*. Les numéros commençant par **800** correspondent à nos numéros Verts: ils sont gratuits *(toll free)*.

- **Local call**. Pour appeler dans la zone où vous vous trouvez *(local call)*, composez les trois chiffres de l'indicatif local: 212 pour Manhattan, 718 pour Brooklyn, le Queens, Staten Island et le Bronx, puis les 7 chiffres de votre correspondant.

- **Long distance call**. Pour appeler en dehors de votre zone *(long distance call)*, composez le 1 + *area code* + numéro à 7 chiffres.

- **Appels en PCV** *(collect call)*. Composez le 1.800. 5.372.623.

Renseignements (Inquiry)

- **Aux États-Unis**. Dans la même zone, composez le 411; dans une zone différente, faites le 1 + *area code* + 555.1212. Pour obtenir le numéro que vous recherchez, précisez la ville, le nom de votre correspondant et éventuellement son adresse. Les numéros sont égrenés un à un très distinctement, à deux reprises (00 se dit *hundred*). Il faut néanmoins avoir une bonne pratique de l'anglais pour dialoguer avec l'opératrice. Faites-vous aider, si nécessaire.

- **Pour la France**. Passez par une opératrice de France Télécom, en composant le 1.800.5.372.623 ou tapez 1.800.5.FRANCE sur le clavier.

- **Renseignements internationaux**. Composez le 00. Avec la carte France Télécom, composez le 1.800.5. 372.623, via un serveur vocal en français.

Téléphones portables

Un portable tribande est nécessaire pour appeler des États-Unis et recevoir des appels d'Europe.

Transports en commun

Les bus et les métros circulent 24h/24, mais certaines lignes et stations ne sont pas desservies la nuit.

Étudiants et enfants bénéficient de réductions dans les transports: jusqu'à 6 ans, ces derniers voyagent gratuitement. *Informations pratiques p. 147.*

orientation

Il est facile de s'orienter à New York, si l'on se réfère aux quatre points cardinaux et aux indications ci-dessous. Les plans Streetwise, rigides et plastifiés, peuvent s'avérer pratiques.

• **Zones est et ouest.** La **5e Avenue** (5th Ave.), qui court du nord au sud, divise Manhattan en **deux zones**, est (E) et ouest (W). La numérotation des immeubles s'effectue de part et d'autre de 5th Ave. Exemples : le n° 3 W52nd St. se trouve à quelques mètres à l'ouest de 5th Ave. ; le n° 3 E52nd St. à l'est de 5th Ave.

• **Avenues.** Elles sont numérotées de **1 à 12**. Elles portent parfois un nom, comme **6th Ave. (Ave. of the Americas)** ou **4th Ave. (Park Ave.)**. Les rues sont numérotées de 1 à 220, mais celles des quartiers historiques du sud de Manhattan portent des noms datant de l'époque coloniale, comme **Pearl St.** (rue de la Perle), **Beaver St.** (rue du Castor), etc.

• **Blocs.** Rues et avenues se croisent à angle droit. Chaque pâté de maisons *(block)* mesure approximativement 80 m entre deux rues et de 100 à 150 m entre deux avenues. Les distances se comptent donc en blocs.

• **Sens unique** *(one way)*. La plupart des rues sont à sens unique **vers l'est** pour celles portant un numéro **pair**, et **vers l'ouest** pour les rues **impaires**. Exemples : 54th St. est à sens unique dans la direction ouest-est, et 53rd St. l'est dans la direction est-ouest. **Exceptions** : Canal, Houston, 14th, 23rd, 34th, 42nd, 57th, 72nd, 79th, 86th Sts. •

Le bus

Les bus circulent du **sud au nord** *(uptown)*, du **nord au sud** *(downtown)* et d'**est en ouest** *(crosstown)*. Ils sont identifiables par un numéro et leur destination finale. Les plans de la ville, disponibles aux guichets des stations de métro et auprès des offices de tourisme, les Visitors' Bureau *(p. 148)*, indiquent clairement l'emplacement des stations. L'attente dure rarement plus de 3 mn, tant les bus sont nombreux (env. 700 circulent sur 200 lignes dans les 5 *boroughs*).

Dans le bus, vous devez impérativement faire l'appoint en pièces de monnaie (tarif : 2 $ en 2006 pour 1 trajet –*single ride*). Le conducteur ne fait pas de change. La **Metrocard** est acceptée dans les bus.

Pour **changer de bus** sans payer une seconde fois, demandez un **transfer ticket** au chauffeur en montant. Pour demander l'arrêt, appuyez sur le cordon placé près de chaque fenêtre. Les bus s'arrêtent tous les deux ou trois blocs *(encadré ci-dessus)* dans le sens nord-sud et à chaque avenue dans le sens est-ouest.

Il existe aussi une trentaine de lignes de **bus express** dans Manhattan. Ils ne circulent qu'aux heures de pointe et à heures fixes. Le numéro du bus est précédé d'un **X** (3 lignes : X25, X90, X92).

Il existe un système de bateaux-bus (**New York Water Taxi**). La ligne dessert : Circle Line Pier (W42 St.), Chelsea Piers (W23nd St.), Battery Park City, South St. Seaport - Pier 11 (Wall St.) et Fulton Landing à Brooklyn. www.nywatertaxi.com.

Le métro *(subway)*

Il y a une dizaine d'années, le métro new-yorkais avait mauvaise réputation ; il est désormais beaucoup plus sûr. Aux heures creuses, les passagers peuvent se regrouper sur les zones du quai marquées de **bandes jaunes** *(off-hour waiting area)* ; ils sont ainsi surveillés par vidéo. **Après 22 h**, restez dans les limites de Manhattan, et évitez de vous rendre dans les quartiers situés au nord de Central Park le soir.

- **Fréquence**. 2 à 5 mn aux heures de pointe, 10 à 15 mn dans la journée, 20 mn de minuit à 5 h du matin.

- **Lignes**. Des panneaux de signalisation indiquent la direction : *Uptown* (vers le nord) et *Downtown* (vers le sud). Il existe deux types de trains : les ***locals,*** qui desservent toutes les stations ; les ***express,*** qui ne s'arrêtent qu'aux stations principales. **Attention** : des trains de différentes lignes peuvent passer sur un même quai. La ligne **D Train** relie de nombreux centres d'intérêt : Central Park, Times Sq., Greenwich Village, Chinatown, Brooklyn...

- **Stations**. Elles se signalent par des boules lumineuses de couleur : la boule **verte** indique que la station est ouverte 24 h/24 et que l'on peut y acheter la Metrocard ; la **rouge** signale que la station n'est accessible qu'à certaines heures.

- **Metrocard**. Cette carte magnétique s'achète en distributeur dans les stations de métro. Elle coûte 2 $ à l'unité *(one ride)*, pour des trajets illimités (*illimited rides*), 7 $ à la journée, 24 $ pour 7 jours, 80 $ pour 30 jours.

Le taxi

Il suffit de lever le nez pour voir passer un **taxi jaune** *(yellow cab)*.

Il n'existe pas de station de taxis ; les voitures libres portent un **signal éclairé** sur le toit ; il suffit de les héler dans la rue. Le taxi ne prend **pas plus de quatre personnes.** Au tarif de base il faut ajouter 15 % de pourboire (tarif de nuit à partir de 20 h), la prise en charge étant de 2,50 $. Munissez-vous de **petites coupures** : nombreux sont ceux qui refusent les coupures supérieures à 20 $.

Un reçu *(receipt)* émis par le compteur *(meter)* et portant la date, l'heure, la distance parcourue et le montant de la course pourra vous être délivré sur demande.

Urgences

Police, pompiers, ambulance : ☎ 911.

Médecin, dentiste et pharmacie, *voir p. 148*.

À savoir : « urgence » se dit *emergency*.

Voltage

Aux États-Unis, le voltage (110 V), la fréquence (60 Hz au lieu de 50 Hz) et la forme des fiches ne sont pas les mêmes que ceux en usage en Europe. Il faut donc prévoir **adaptateur** et prises à **fiches plates.**

À l'hôtel, le service de *housekeeping* vous prêtera un fer à repasser ou un séchoir à cheveux. ●

taxi driver

Le travail de chauffeur de taxi est bien souvent le premier emploi du nouvel immigrant. Beaucoup parlent à peine l'anglais et connaissent mal la ville. Ne dites pas « Au Shubert Theater ! », mais demandez-lui plutôt de vous déposer à l'angle de Broadway et de 44th St. Jamaïcains, Portoricains et Haïtiens sont nombreux dans cette profession peu qualifiée. Ces derniers portent des noms bien de chez nous et seront ravis de parler français avec vous. ●

repères

▲ **Christophe Colomb sur la voie des Caraïbes.**

Pages précédentes : le côté pile de l'hôtel New Yorker, le repaire de Spiderman.

repères

Les grandes dates de l'histoire

Aux États-Unis et dans le monde

1534-1542. Jacques Cartier découvre le Canada.

1607. Fondation de Jamestown, première colonie britannique en Virginie.

1621. Fondation de la Compagnie hollandaise des Indes occidentales.

1664. Guerre anglo-hollandaise.

1672-1678. Guerre entre la France et la Hollande.

1524. Verrazano découvre l'île de Manhattan, habitée par les Algonquins, et la baptise Nouvelle-Angoulême, au nom du roi François Ier.

1609. Henry Hudson remonte le cours du fleuve, qui porte aujourd'hui son nom, pour le compte des Hollandais.

1624. Fondation de la Nouvelle-Hollande. Peter Minuit est nommé gouverneur de la colonie. L'île est baptisée Nouvelle Amsterdam et devient capitale de la Nouvelle-Hollande.

1626. Peter Minuit achète Manhattan aux Indiens pour 60 florins (env. 24 dollars). Population : 200 hab.

1640. Arrivée des premiers immigrants.

1647-1664. Peter Stuyvesant, dernier gouverneur hollandais de la Nouvelle Amsterdam.

1653. Peter Stuyvesant fait élever un mur *(De Wall)* au sud de l'île.

1664. Charles II d'Angleterre donne la colonie à son frère, le duc d'York. La ville prend le nom de New York.

1685. Arrivée massive de huguenots français.

1695. L'enceinte de Peter Stuyvesant est détruite. Population : 5 000 hab.

1776. Défaite de George Washington à Long Island. Occupation anglaise.

1783. Entrée triomphale de G. Washington dans la ville. Départ des loyalistes. Population : 20 000 hab.

26 juil. 1788. Ratification de la Constitution américaine par l'État de New York.

30 avr. 1789. G. Washington, premier président des États-Unis, prête serment au Federal Hall.

1792. Création de la Bourse. Population : 33 000 hab.

1800. 60 000 hab.

1807-1811. Création du plan en damier.

1820. Arrivée massive d'immigrants, en majorité irlandais.

1825. Ouverture du canal Érié.

1832. Épidémie de choléra.

1850. 500 000 hab.

1855. 1er centre d'immigration dans Castle Clinton.

1860. Arrivée d'immigrants allemands et irlandais. Population : 650 000 hab. La ville atteint la 50e rue. Création de Central Park.

1870. Fondation du Metropolitan Museum of Art.

1883. Brooklyn Bridge. 1,9 million d'hab.

1886. Statue de la Liberté.

1713. L'Angleterre annexe Terre-Neuve et la Nouvelle-Écosse.

1756-1763. Guerre de Sept Ans.

1773. Boston Tea Party.

1776-1783. Guerre d'Indépendance.

1783. Ratification de l'indépendance américaine par le traité de Versailles. Naissance du dollar.

1787. Adoption de la Constitution américaine et ratification par les 13 colonies.

1789. En France, Déclaration des droits de l'homme.

1790. Entrée en vigueur de la Constitution américaine.

1800. Washington devient capitale.

1803. Les États-Unis achètent la Louisiane à la France.

1806. Blocus continental en Europe.

1812-1814. Guerre anglo-américaine.

1819. Achat de la Floride à l'Espagne.

1824. Élection à la présidence de John Quincy Adams.

1840. Début de la grande migration vers l'Ouest.

1845. Annexion du Texas.

1848. Annexion de la Californie.

1860. Élection d'Abraham Lincoln à la présidence des États-Unis.

1861-1865. Guerre de Sécession.

1865. Assassinat du président Lincoln à Washington.

1892. Ellis Island, premier terminal d'immigration d'Amérique du Nord.

1898. Manhattan, le Bronx, le Queens, Brooklyn et Staten Island forment une entité administrative.

1902. Construction du Flatiron Building.

1904. Première ligne de métro.

1916. Vote de la Zoning Law sur la construction des gratte-ciel.

1920. Harlem Renaissance.

1921. Quotas pour l'immigration.

1929. Krach boursier (24 oct.).

1931. Construction de l'Empire State Building.

1933. Élection de F. La Guardia, maire républicain.

1941. Arrivée massive d'intellectuels juifs européens.

1952. Siège de l'ONU à New York.

1954. Fermeture d'Ellis Island.

1964-1965. Émeutes raciales à Harlem et assassinat de Malcolm X.

1973. Construction du World Trade Center.

1975. La ville est au bord de la faillite.

1989. Élection du premier maire noir, David Dinkins, un démocrate.

1993. Élection de R. Giuliani, maire républicain.

1995. 7,287 millions d'hab.

1997. Réélection de R. Giuliani.

2001. Destruction du World Trade Center. Élection de Michael Bloomberg, maire républicain.

2003. Premier projet de reconstruction du World Trade Center (D. Libeskind).

2005. Second projet de reconstruction du World Trade Center adopté (D. Childs). Hillary Clinton, sénateur de l'État de New York. Réélection de M. Bloomberg.

2006. Début de la reconstruction du WTC ●

1898. Guerre contre l'Espagne.

1919. Le Japon annexe la Corée.

1917. Les États-Unis entrent en guerre (6 avr.).

1918. Proclamation des « quatorze points » de W. Wilson.

1919. Négociations à Versailles. Vote de la Prohibition.

1933. Élection de F. D. Roosevelt. Fin de la Prohibition.

1941. Les Japonais attaquent Pearl Harbor ; les États-Unis entrent officiellement en guerre.

1947. Plan Marshall (Europe).

1957. Traité de Rome.

1961. Début de l'intervention américaine au Vietnam.

1963. Assassinat de J. F. Kennedy.

1969. Des astronautes américains sur la Lune.

1972. Affaire du Watergate.

1989. Chute du mur de Berlin.

1991. Guerre du Golfe.

1993. Bill Clinton, 42e président.

1996. Réélection de B. Clinton.

2000. George W. Bush, 43e président.

2001. Attaques terroristes contre le World Trade Center et le Pentagone (11 sept.).

2003. Guerre en Irak.

2004. Réélection de George W. Bush. Élargissement de l'UE à 25 membres.

2005. Mort du pape Jean-Paul II. Attentats à Londres.

2006. Victoire des démocrates au Congrès (nov.). ●

lexique
Quelques mots d'américain

Les formules usuelles

Arrêtez ! .... *Stop* !
Attention ! .... *Be careful !, Watch out !*
Au revoir .... *Goodbye, Bye* (fam.)
Bonjour .... *Good morning* (le matin), ... *Good afternoon* (l'après-midi)
Bonne nuit .... *Good night*
Bonsoir .... *Good evening*
Excusez-moi .... *Excuse me, I'm sorry*
Madame .... *Madam, Lady* (fam.)
Mademoiselle .... *Miss*
Monsieur .... *Sir*
Merci .... *Thanks, thank you*
Pardon ! .... *Sorry !*
Salut ! .... *Hi !*
S'il vous plaît .... *Please*
Comment allez-vous ? .... *How are you ?, How are you doing ?*
Je ne comprends pas .... *I don't understand, I don't get it* (fam.)
Enchanté de faire votre connaissance .... *Nice to meet you, Nice meeting you*
Quelle heure est-il ? .... *What time is it ?*

À l'hôtel

Annulation .... *Cancellation*
Arrivée, départ .... *Check in, Check out*
Arrivée, départ tardif .... *Late check in, Late check out*
Ascenseur .... *Elevator*

Bagages .... *Luggage*
Baignoire .... *Bath tub*
Bains .... *Bath*
Chambre .... *Room*
Grand lit .... *Queen size bed*
Lits jumeaux .... *Twin beds*
À deux lits .... *Queen bedded room*
Individuelle .... *Single occupancy*
Double .... *Double occupancy*
Chambre libre .... *Room vacancy*
Cintres .... *Coat hangers*
Clé, carte magnétique ... *Key, Magnetic card*
Coffre-fort .... *Safe deposit*
Concierge .... *Concierge*
Couverture .... *Blanket*
Date d'arrivée/de départ ....
.... *Arrival/departure date*
Douche .... *Shower*
Draps .... *Sheets*
Fer à repasser .... *Iron*
Hall d'entrée .... *Lobby*
Hébergement .... *Accommodation*
Lavabo .... *Sink*
Numéro de chambre .... *Room number*
Oreiller .... *Pillow*
Paiement en espèces ou carte bancaire ? ......
.... *Cash or charge ?*
Réception .... *Front desk*
Réservation .... *Booking, Reservation*
Réveil téléphonique .... *Wake up call*
Sèche-cheveux .... *Hair dryer*
Service de bagages .... *Bell captain*
Service d'étage .... *Room service*
Serviette de toilette .... *Towel*
Standard .... *Operator*
Suppléments .... *Extras, Incidentals*
Premier étage .... *Second floor*
Rez-de-chaussée ....
.... *First floor, Ground floor, Street floor*
Sous-sol .... *Basement*

Au restaurant

Addition .... *Check*
Boisson non alcoolisée .... *Soft drink*
Bière .... *Beer*
Commander .... *To order*
Déjeuner .... *Lunch*
Dessert .... *Dessert*
Dîner .... *Dinner*
Eau .... *Water*
Entrée .... *Appetizer, Starter*
Légumes .... *Vegetables*
Menu .... *Set menu*
Petit déjeuner .... *Breakfast*
Plat principal .... *Entrée*
Plat du jour .... *Special*
Poisson .... *Fish*
Viande .... *Meat*
À point .... *Medium*
Bien cuit .... *Well done*
Saignant .... *Rare*
Vin .... *Wine*
Blanc .... *White*
Rouge .... *Red*
Rosé .... *Rosé*
Champagne .... *Champagne*

Le temps

Aujourd'hui .... *Today*
Demain .... *Tomorrow*
Hier .... *Yesterday*
Jour .... *Day*
Lundi .... *Monday*
Mardi .... *Tuesday*
Mercredi .... *Wednesday*
Jeudi .... *Thursday*
Vendredi .... *Friday*
Samedi .... *Saturday*
Dimanche .... *Sunday*
Le matin .... *Morning*

L'après-midi .... *The afternoon*
Le soir, la nuit .... *The evening,The night*
Saison .... *Season*
Printemps .... *Spring*
Été .... *Summer*
Automne .... *Fall*
Hiver .... *Winter*
Semaine .... *Week*
Année .... *Year*

|| À la gare, à l'aéroport

Aéroport .... *Airport*
Arrêt .... *Stop*
Carte d'embarquement .... *Boarding pass*
Changement .... *Connection, Transfer*
Consigne .... *Baggage Claim*
Douanes .... *Customs*
Gare .... *Train station*
Guichet .... *Ticket office*
Liste d'attente .... *Waiting list*
Porte d'embarquement .... *Boarding gate*
Quai .... *Platform*
Réservation .... *Booking*
Maintenir/annuler une réservation ....
.... *To hold/to cancel a reservation*
Réserver .... *To book*
Trajet .... *Ride*
Un billet pour... .... *A ticket to...*
Trajet simple .... *One way ticket*
Billet A/R .... *Round trip ticket*
1re/2nde classe .... *First/second class*
Vol intérieur .... *Domestic flight*
Vol international .... *International flight*

|| En ville

Autobus .... *Bus*
Avenue .... *Avenue*
Cabine téléphonique .... *Phone booth*
Cinéma .... *Movie theater*
Comédie musicale .... *Musical*
Commissariat .... *Central Police Station*
Église .... *Church*
Escaliers .... *Stairs*
Grand magasin .... *Department store*
Magasin .... *Store*
Marché .... *Market*
Métro .... *Subway*
Correspondance .... *Transfer*
Ligne .... *Line*
Quai .... *Platform*
Sortie .... *Exit*
Vers le nord .... *Uptown*
Vers le sud .... *Downtown*
Vers l'est .... *Eastbound*
Vers l'ouest .... *Westbound*
Navette .... *Shuttle*
Pharmacie .... *Drugstore, Pharmacy*
Policier .... *Policeman, Cop* (fam.)
Poste .... *Post office*
Appel téléphonique
(longue distance) ....
.... *Long distance call*
Appel local .... *Local call*
Appel en PCV .... *Collect call*
Boîte aux lettres .... *Mail box*
Code postal .... *Zip code*
Courrier .... *Mail*
Renseignement .... *Inquiry*
Rue .... *Street*
À droite : .... *On the right, Make a right*
À gauche .... *On the left, Make a left*
Tout droit .... *Straight ahead*
Taxi .... *Taxi, Cab*
Toilettes .... *Rest room*
.... Femmes : *Ladies' room*
.... Hommes : *Men's room*
Trottoir .... *Sidewalk* ●

A

B

C

D

E

F

G

H

I-J

K-L

M

N

O-P

Q-R

S

T

U

V

W

Y-Z

Ce guide a été établi par **Isabelle Villaud.**

Avant même d'avoir terminé ses études d'histoire de l'art, l'auteur parcourait le monde et faisait partager ses coups de cœur. Curieuse et conteuse, elle appartient à cette nouvelle école de conférenciers aptes à dépoussiérer le passé comme à éclairer le présent. Isabelle Villaud est aussi l'auteur du Guide Évasion Californie et collabore au Guide Bleu États-Unis Est et Sud.

Direction: Nathalie Pujo – **Direction littéraire**: Armelle de Moucheron – **Responsable de collection**: Marie-Caroline Dufayet – **Informatique éditoriale**: Lionel Barth – **Documentation**: Sylvie Gabriel – **Maquette intérieure et mise en pages PAO**: Sophia Mejdoub, Catherine Riand – **Cartographie**: Frédéric Clémençon, Aurélie Huot – **Fabrication**: Nathalie Lautout, Caroline Artémon, Amandine Sevestre – **Couverture** conçue et réalisée par François Supiot.

Édition établie avec la collaboration de Christelle Fucili et Anne Baron.

Couverture : Greenwich Village © Bertrand Rieger/hemis.fr

Pour nous écrire : evasion@hachette-livre.fr

Imprimé en Italie par LEGOPRINT
Dépôt légal : 81204 – janvier 2007
Collection : 27 – Édition : 01
ISBN : 978-2-01-244045-6
24/4045/1

À nos lecteurs

Ces pages vous appartiennent. Notez-y vos remarques, vos découvertes, vos bonnes adresses. Et ne manquez pas de nous en informer à votre retour.

- 5, [illegible] [illegible], [illegible]
  41010 [illegible]

- 12, Imp [illegible] 79150
- Aux [illegible] 73 [illegible]
- 284 rue Richelieu G1R1J6

27 rue 20 VA
[illegible]

Pour nous aider à mieux vous connaître, répondez à notre questionnaire en fin de guide et gagnez peut-être le guide de vos prochaines vacances.

Hachette Tourisme
Guides Évasion en ville – Courrier des lecteurs
43, quai de Grenelle - 75905 Paris Cedex 15
evasion@hachette-livre.fr

Évasion en ville et vous

Aidez-nous à mieux vous connaître en répondant à ce questionnaire et en le retournant à Hachette Tourisme – Service marketing • 43, quai de Grenelle – 75905 Paris cedex 15

Chaque année, le 15 décembre, un tirage au sort sélectionnera les 500 gagnants d'un guide de voyage.

1. Vous êtes : ❑ une femme ❑ un homme

2. Votre âge : ____________

3. Avez-vous des enfants ou des petits-enfants ?

Enfants : ❑ oui ❑ non

Petits-enfants : ❑ oui ❑ non

Préciser leur âge : ____________

4. Partez-vous en voyage avec eux :

En France	À l'étranger
❑ toujours	❑ toujours
❑ souvent	❑ souvent
❑ rarement	❑ rarement
❑ jamais	❑ jamais

5. Combien de séjours effectuez-vous, en moyenne (grands week-ends, vacances) :

En France	À l'étranger
❑ moins d 1 fois par an	❑ moins d 1 fois par an
❑ de 1 à 2 par an	❑ de 1 à 2 par an
❑ + de 3 par an	❑ + de 3 par an
❑ autre ____________	❑ autre ____________

6. Quand vous partez en voyage, vous achetez un guide :

Pour la France	Pour l'étranger
❑ toujours	❑ toujours
❑ souvent	❑ souvent
❑ rarement	❑ rarement
❑ jamais	❑ jamais

7. Vous achetez des guides de voyages (plusieurs choix sont possibles) :

Pour la France
- ❑ pour rêver
- ❑ pour préparer votre voyage
- ❑ pour les bonnes adresses
- ❑ pour les idées de loisirs et d'activités
- ❑ pour les informations culturelles
- ❑ autre à préciser ______________________

Pour l'étranger
- ❑ pour rêver
- ❑ pour préparer votre voyage
- ❑ pour les bonnes adresses
- ❑ pour les idées de loisirs et d'activités
- ❑ pour les informations culturelles
- ❑ autre à préciser ______________________

8. Comment avez-vous connu la collection Évasion en ville :

❑ par hasard ❑ par un ami ❑ par une publicité
❑ par votre libraire ❑ autre à préciser ________________

9. Qu'est-ce que vous appréciez dans la collection Évasion en ville ?
(cochez la case de votre choix)

la présentation	①	②	③	④	⑤
les coups de cœur de l'auteur	①	②	③	④	⑤
les itinéraires	①	②	③	④	⑤
les cartes	①	②	③	④	⑤
les photos	①	②	③	④	⑤
le prix	①	②	③	④	⑤

autre à préciser : ____

10. Qu'est-ce que l'on pourrait améliorer dans la collection Évasion en ville ?

____

11. Quand vous achetez un guide Évasion en ville, est-ce que vous achetez, en complément un autre guide ?

❑ oui ❑ non

si oui, lequel : ____

pourquoi : ____